西晉（有紀年）

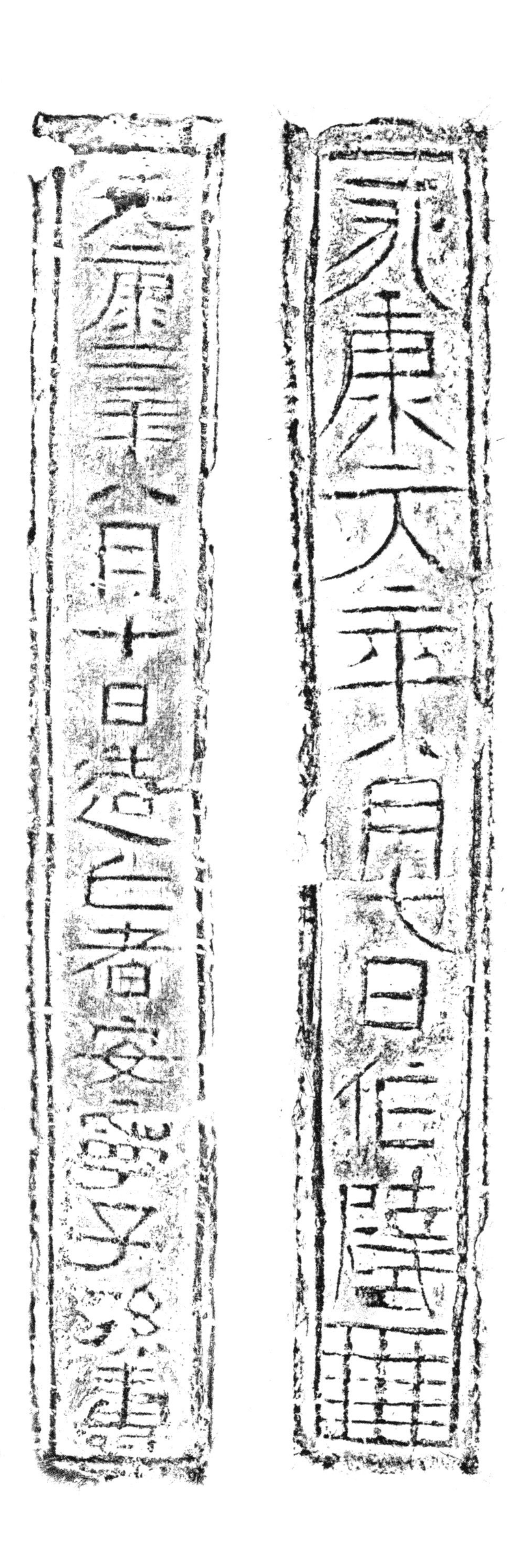

磚銘書法大系

兩晉至宋元磚銘書法

一

上海書畫出版社 編
黎旭 王立翔 主編

上海書畫出版社

前言

磚的古字爲『甓』『壁』『甎』『塼』，城磚可稱『墼』，井磚可稱『甃』等。古磚作爲古代文字的載體，其學術功能不遜於甲骨、青銅器、石刻、簡牘、法帖、書迹等傳統主流器物。由於銘文磚存世量大、覆蓋面廣、歷史跨度長，東漢以降幾乎每個歷史年代的銘文磚都有實物存世，而且磚銘内容資料豐富，書法風格面貌齊全，因此，古磚具有天然不可替代的學術特點。

清代中後期金石學振興之後，學者逐漸發現古磚銘對金石學研究具有重大價值，於是開展對古代磚銘的專門研究和著録。嚴福基《嚴氏古磚存》、吴廷康《慕陶軒古磚圖録》、陳璜《百甓齋古磚録》、陸心源《千甓亭古磚圖釋》、吕佺孫《百磚考》、吴隱《遯庵古磚存》、馮登府《浙江磚録》、宋經畬《磚文考略》等著作中收録的古磚銘，有着明顯的地域特色，多爲浙江地區出土的古代銘文磚銘。詳細記録古磚的出土資訊，對文字進行辨識，考證相關内容等，是這個時期著作的共同特點。但囿於當時印刷條件，對磚銘的形態，僅能依賴文字的描述，或雕鏤木版，縮摹仿真，難免與原貌有着相當大的差别。值得關注的是光緒十七年（一八九一）陸心源的《千甓亭古磚圖釋》，這是一部古磚銘著録中里程碑式的著作。從數量上來看，共輯録了一千三百二十餘種兩漢至元代不同的古磚銘拓本，遠超前人著作；從質量上來説，采用了當時較爲先進的石印印刷技術，比較真實地呈現了古磚銘的文字和圖案。此外，陸氏對每一種古磚拓本均標注尺寸、内容、出土地等資訊，并對其中相當一部分文字加以考釋。這一著録方式能直觀準確地反映磚銘的内容，逐漸爲此後古磚銘研究者所采用，影響深遠。民國時期古磚銘研究著作的主要特點是不再局限於一時一地，而是匯集不同時期、不同地域、不同種類的磚銘合集。如高翰生《上陶室磚瓦文捃》、鄒安《廣倉磚録》、王樹枏《漢魏六朝磚文》等。

書法研究是金石學者著録古磚銘的一個重要意圖。中國古代磚銘書法的姿態具有獨特的藝術韵味，從字體上來看，涵蓋了篆書、隸書、草書、行書、楷書等多種字體。時代的變遷與地區文化的差异，在古磚銘中同樣有着相當明顯的痕迹，古磚銘書法對於研究古代書體書風的嬗變有着重要作用。

兩晉南北朝磚銘書法，篆書、隸書、楷書、草書等書體都處在演變和發展階段，反映了彼時民間書寫群體作品的真實面貌，其『變』與『不穩定性』的特點，與成熟經典的書體相比，雖稍顯粗糙，但是所呈現出來的自然形態以及强烈的生命力和可塑性，正是定型後的書體所不能具備的，這些因素對科學地研究中國兩晉南朝書法史意義非凡。

隋唐時期的磚銘書法，基本圍繞着楷書而展開。隋代砖铭書法在點畫特徵的刻畫方面較爲草率，不衫不履，間架結構方面，則取當時流行的平正寬博之勢。唐代磚銘楷書書體的風格化更加豐富，且明顯存在對於當時名家書法的模仿。五代十國時期在磚銘書法方面，無復隋唐時期的規模與高度，多以隸書或者受到隸書影響的楷書爲主，在整體的製作水平、藝術高度方面，已然呈現頽勢，再難以與前代相頡頏。遼、金磚銘書法均为楷書，書法風格具有明顯的歐體、顔體的特徵。元代磚銘，整體仍以楷書爲主，但也有一定數量的隸書磚銘，而且書法水準比兩宋的隸書磚銘的水準更高、更純粹。兩宋時期磚銘書法與時代主流書風嚴重脱節，一方面源於隋唐以後書體演變的最終完成，由重書體而轉變爲重風格的表現；另一方面，宋代民間書法的進一步行業化，更多關注書法的實用功能，故而處於民間階層的兩宋磚銘，在接續隋唐五代以後逐漸走向凋敝。

『磚銘書法大系』計兩輯八册，此輯爲兩晉至宋元卷，共計四册，集中體現了這一時期磚銘書法的時代、地域風格特征，是我們研究書法史、進行書法創作不可或缺的珍貴資料。

目録

西晉（有紀年）

泰始元年張光墓記磚

釋文：泰始元年南陽張光/字孝少

泰始十年磚

釋文：泰始十年

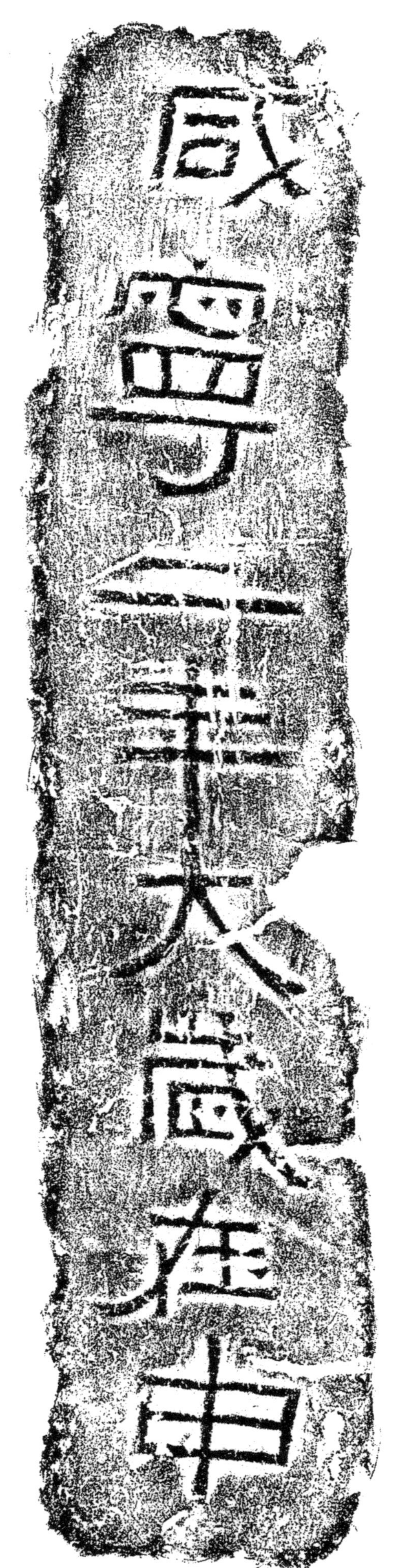

咸寧二年磚

釋文：咸寧二年太歲在申

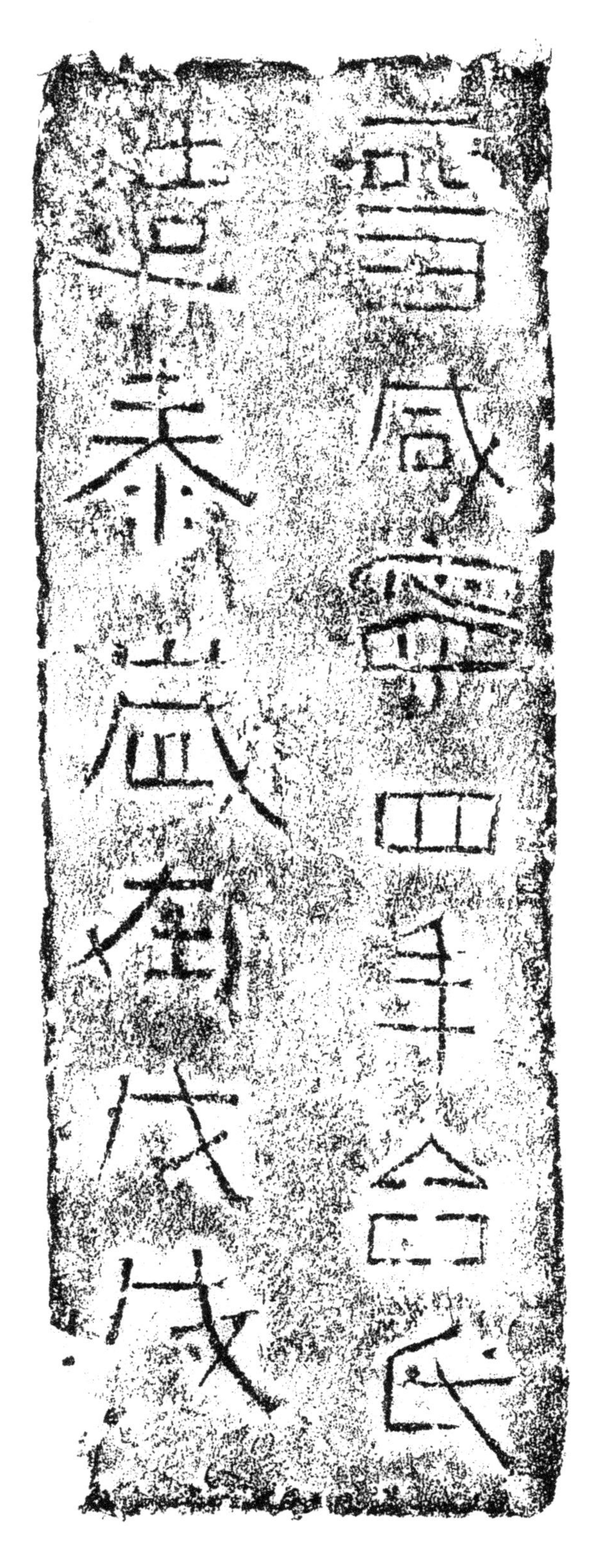

咸寧四年合氏磚之一

釋文：晋咸寧四年合氏／造泰歲在戊戌

咸寧四年合氏磚之二

釋文：陳郡太守淮南成德／合府君夫人之槨也

太康二年施氏磚

釋文：太康二年歲在寅造
太康二年歲在辛丑
施冢甓

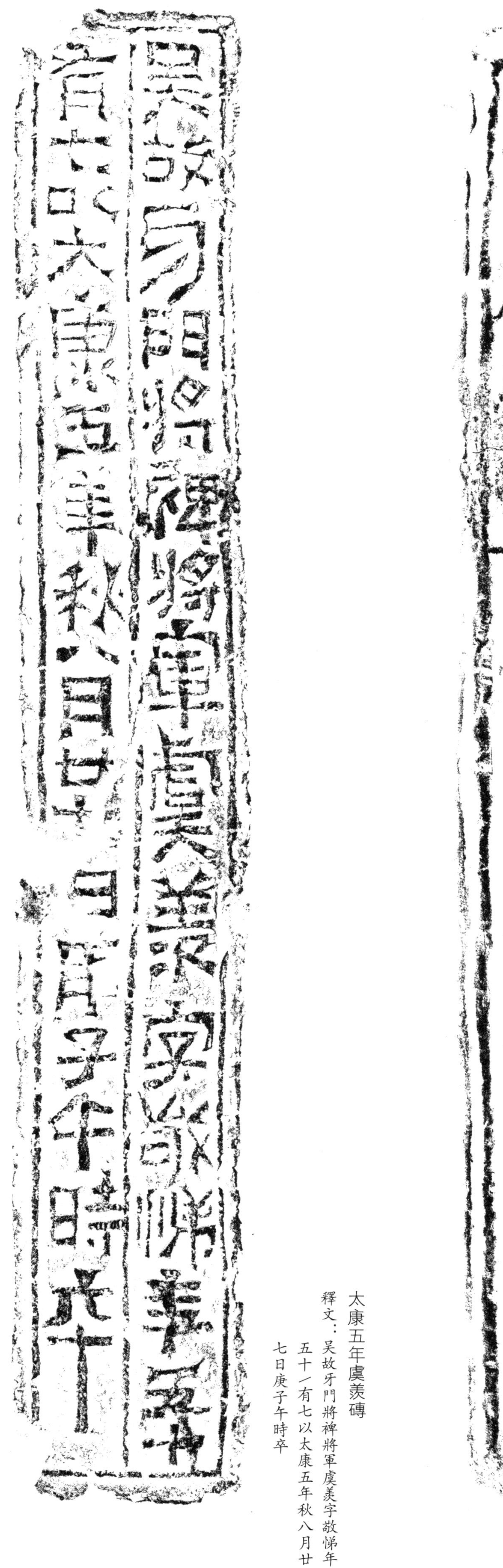

太康三年張氏磚

釋文：太康三年七月日朔山陰張□作

太康五年虞羡磚

釋文：吴故牙門將裨將軍虞羡字敬悌年五十一有七以太康五年秋八月廿七日庚子午時卒

太康三年磚

釋文：太康三年八月

遷魏千□

八日千冊萬歲平安富貴高

太康六年磚
釋文：太康六年八月一日丁巳

太康七年磚
釋文：太康七年八月十日造宜子

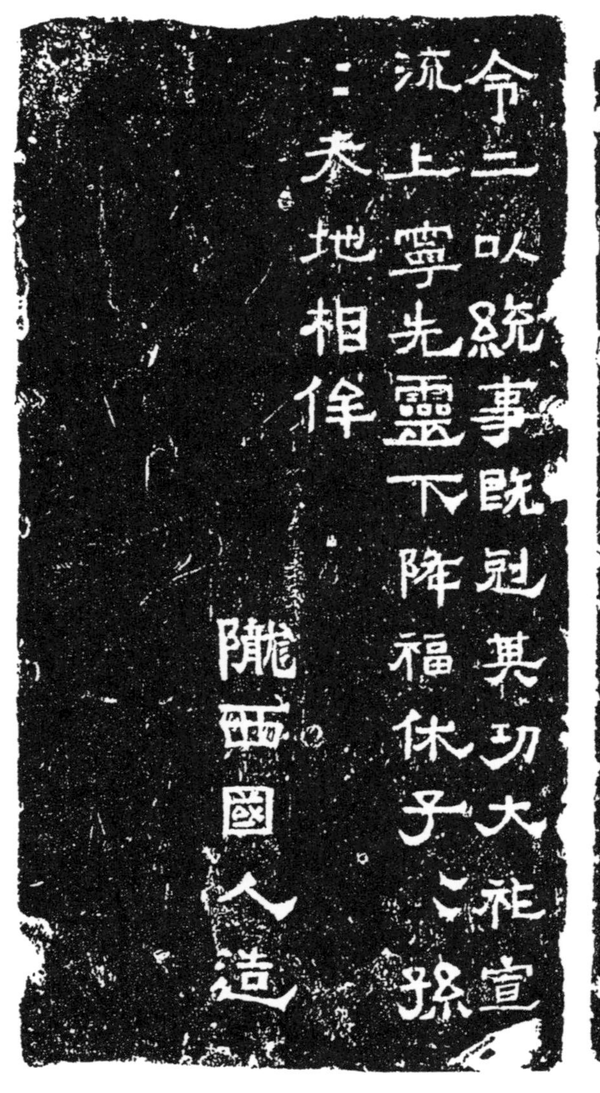

背面　　正面

太康三年王大妃墓誌磚

釋文：正面：惟晉太康三年冬十一月我王皇／妣大妃王氏薨春三月協櫬于／皇考大常戴侯陵王孝慕罔極／遂遜衮列侍于陵次以營域不／夷乃命有司致力于斯坑役夫／七千功天朝遣使臨焉國卿一

背面：令二以統事既剋其功大祚宣／流上寧先靈下降福休子子孫／孫天地相侔／隴西國人造

背面

正面

太康五年冶原妻黄氏墓記磚

釋文：正面：太康五年十月廿三／日弘

農冶原／妻黄年廿七

背面：冶勝

側面　　正面

太康五年河南稚墓記磚

釋文：正面：太康五年/廿八日河南

側面：稚年卅□

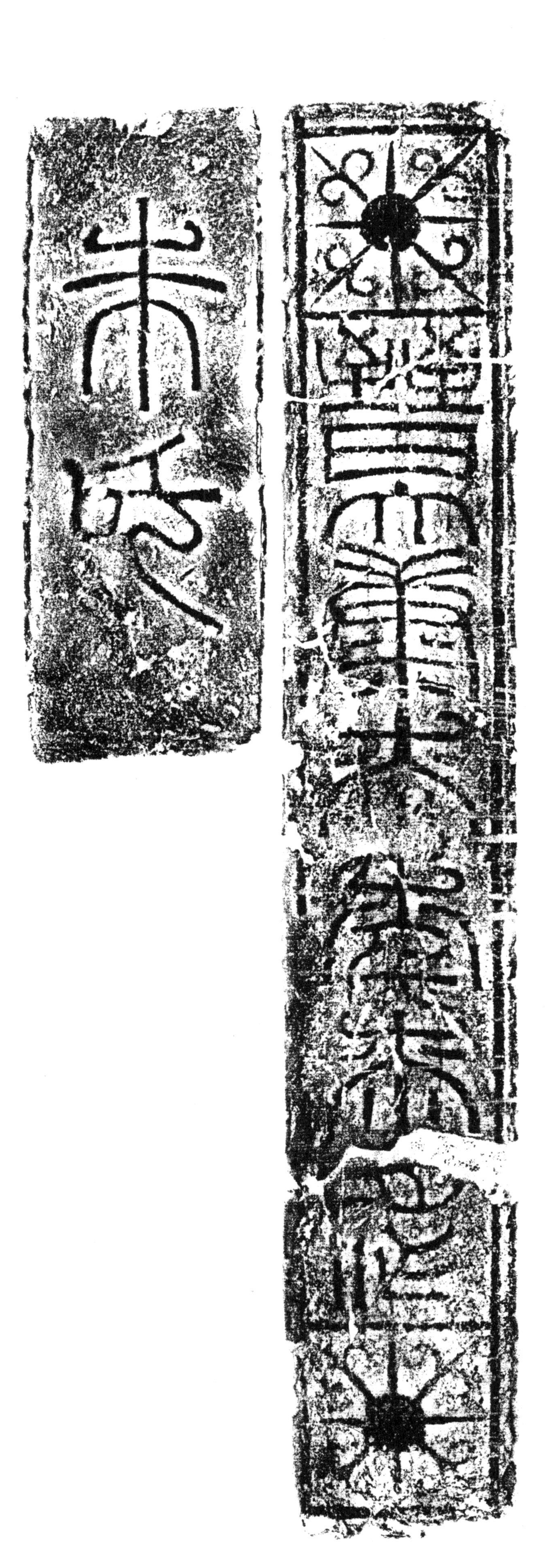

太康七年朱氏磚

釋文：晉太康桼年桼月作　朱氏

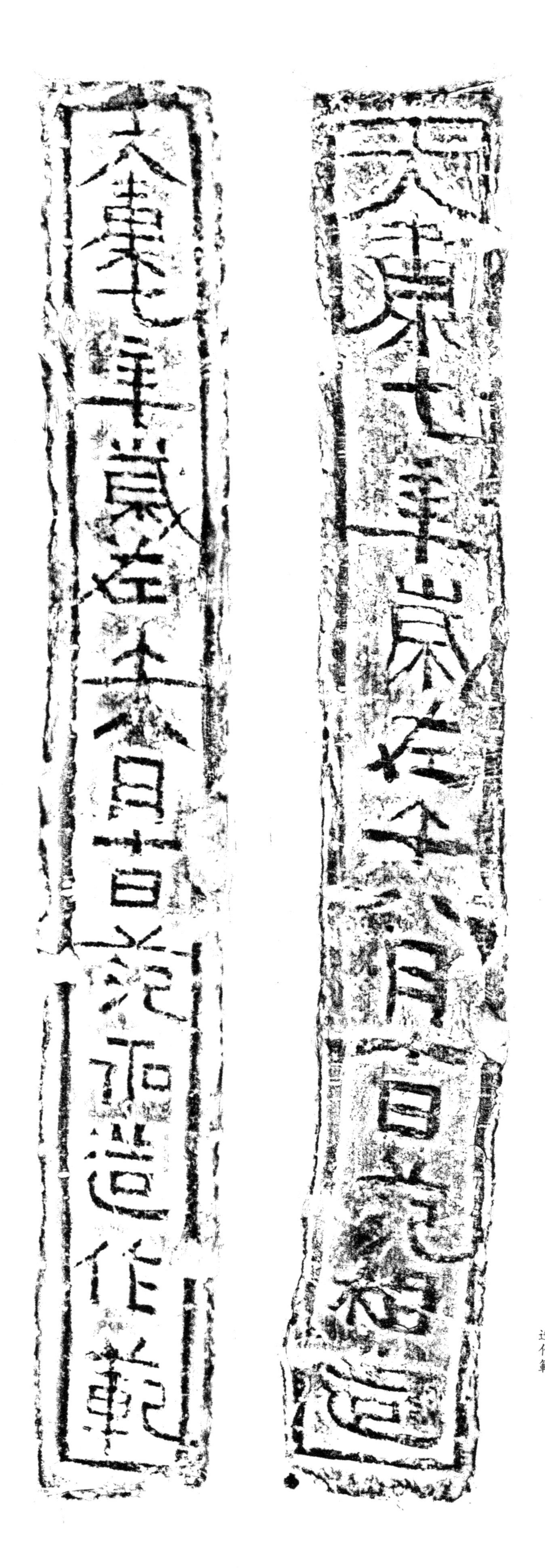

太康七年范氏磚

釋文：太康七年歲在午八月十日范相造
太康七年歲在午八月十日范所造作範

太康八年武華宗父磚
釋文：太康八年歲在丁未濟陰城武華宗父

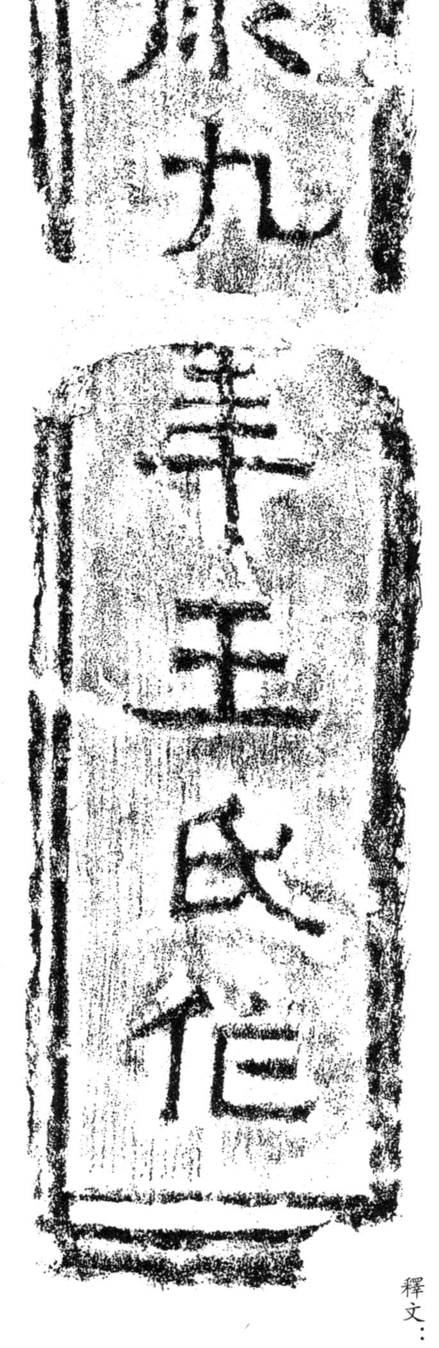

太康九年王氏磚
釋文：晉太康九年王氏作

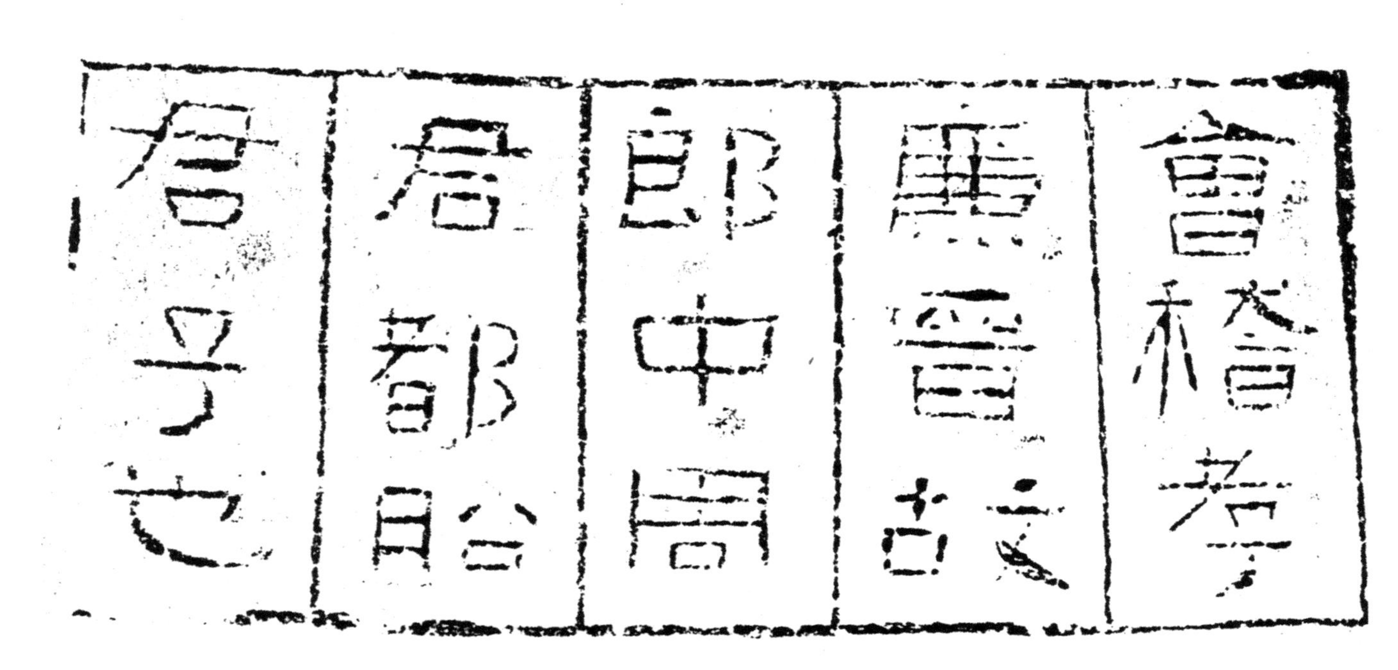

會稽孝廉等字磚

釋文：會稽孝/廉晉故/郎中周/君都船/君子也

太康八年王從事磚

釋文：晉故/太康/八年八/月一日/乙亥城/陽黔陬/王從事/□□

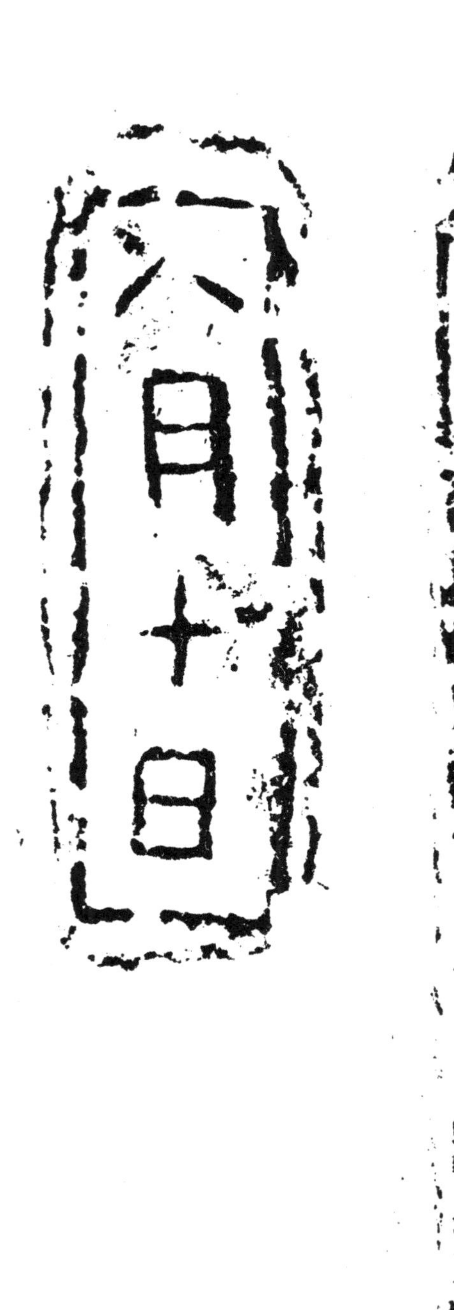

太康八年凌弼磚

釋文：太康八年臨安凌弼製萬年
萬歲不敗
八月十日

太康九年張儁妻劉氏墓記磚

釋文：太康九年正月／廿七日司馬張儁／妻劉年卌二

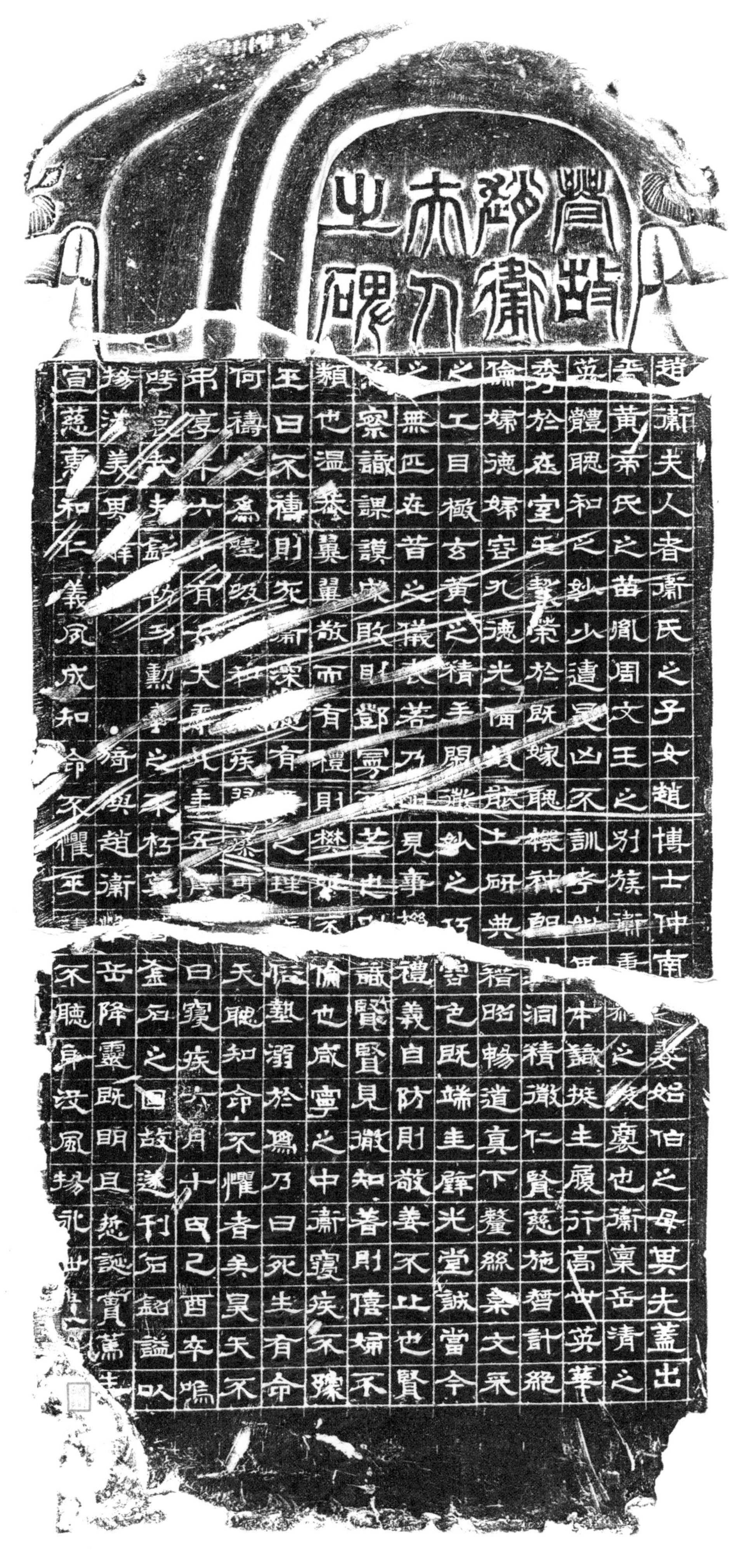

永熙元年趙仲南之妻衛夫人墓誌磚

釋文：晋故／趙衛／夫人／之碑

趙衛夫人者衛氏之子女趙博士仲南之妻始伯之母其先蓋出／□黄帝氏之苗胤周文王之别族衛康□之後裔也衛禀岳清之／英體聰和之妙少遭□凶不訓考妣其才識挺生履行高世英華／秀於在室玉絜榮於既嫁聰機神朗□洞精微仁賢慈施智計絶／倫婦德婦容九德光備故能上研典籍昭暢道真下鳌絲枲文采／之工目極玄黄之精手閑微妙之巧容色既端圭璧光堂誠當今／之無匹在昔之儀表苦乃明見事□禮義自防則敬姜不比也賢／悊察識謀謨成敗則鄧寧□若也□識賢賢見微知著則僖婦不／類也温恭翼翼敬而有禮則樊□不倫也咸寧之中衛寢疾不豫／巫曰不禱則死衛深□有□之理□俗埶溺於爲乃曰死生有命／何禱之爲噓吸□和□疾□□可□天聽知命不懼者矣昊天不／吊享年六十有六太康九年五月□日寢疾六月十日己酉卒嗚／呼哀哉夫銘勒功勳言之不朽莫□金石之因故遂刊石銘謚以／揚□美其辭曰猗與趙衛惟岳降靈既明且悊誕實萬生／宣慈惠和仁義夙成知命不懼巫□不聽身没風揚永世□□

太康十年董氏磚

釋文：太康十年會稽上虞董氏作

太康九年王令長磚

釋文：太康九年六月王令長造

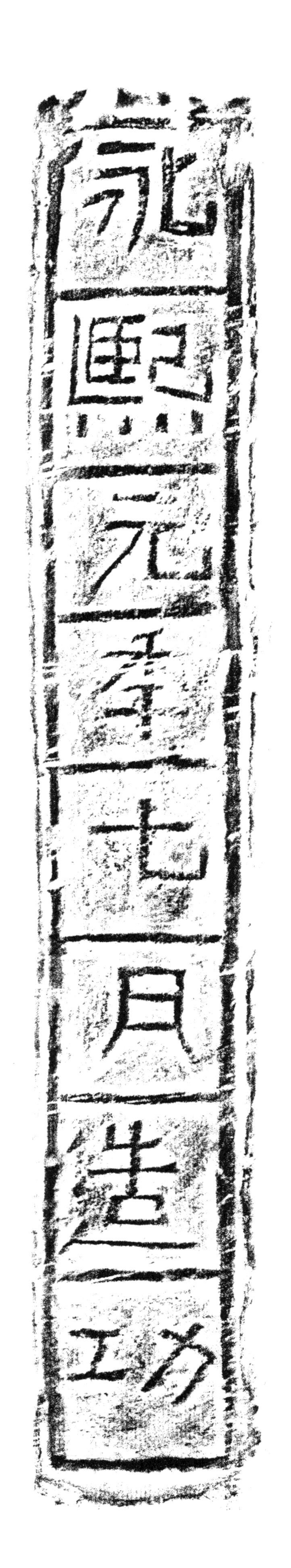

永熙元年磚
釋文：永熙元年七月造功

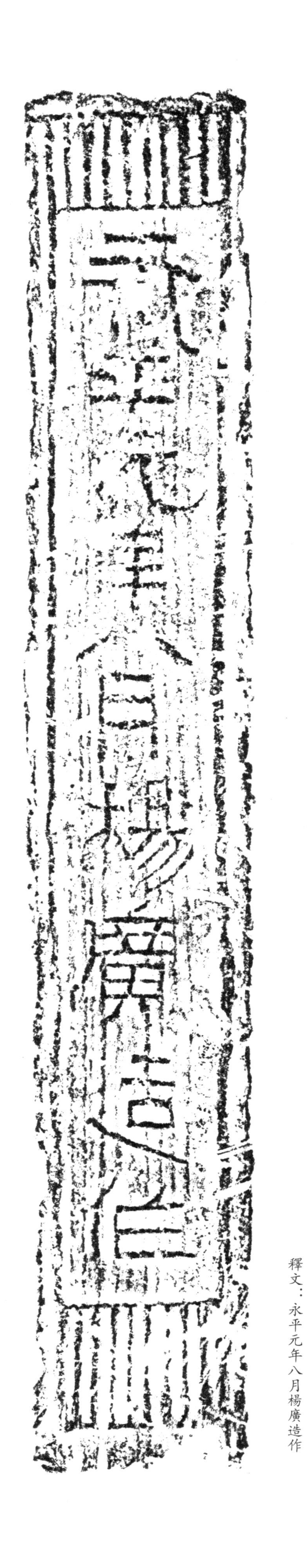

永平元年楊廣磚

釋文：永平元年八月楊廣造作

元康年磚

釋文：晉元康

元康元年淳于興磚

釋文：晋平吴十四年號爲元康餘姚淳于興作

元康元年俞樂磚

釋文：元康元年九月辛巳朔工俞樂作

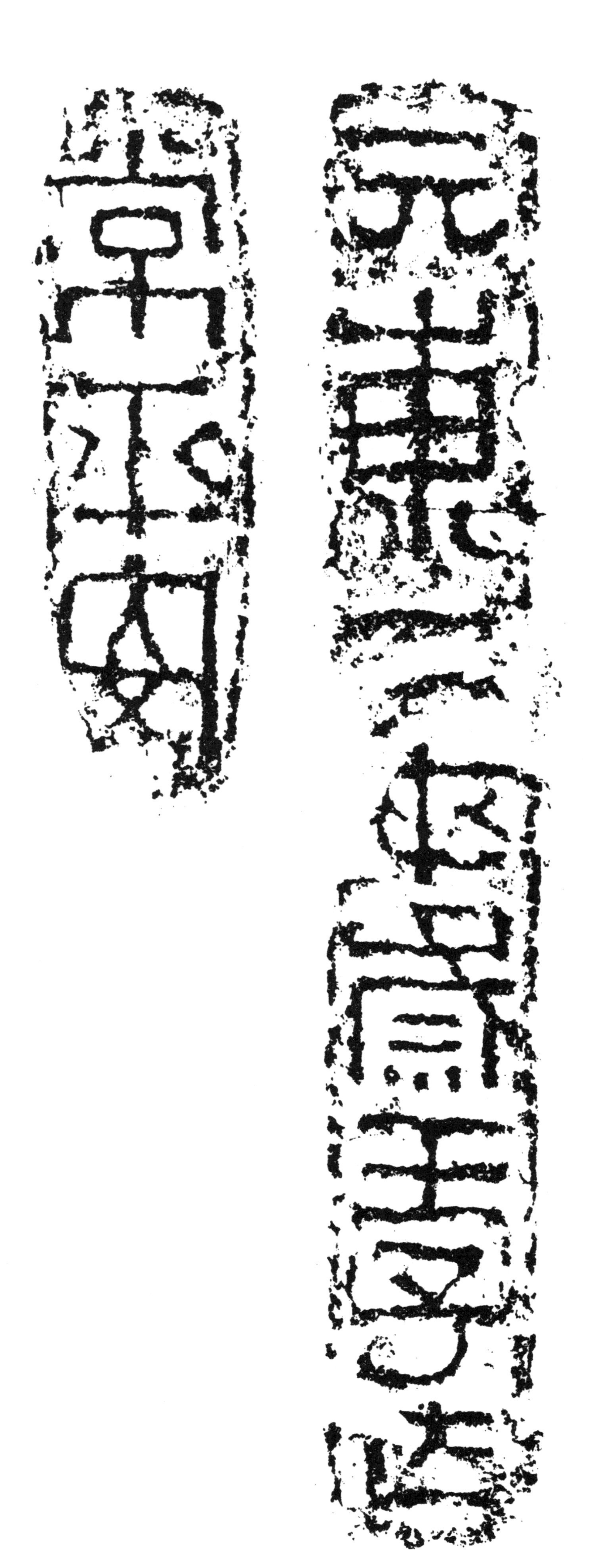

元康二年磚

釋文：元康二年歲壬子作　常平安

元康二年番氏磚

釋文：元康二年太歲癸丑七月番氏造

元康二年陳氏磚

釋文：元康二年歲子八月陳氏造

元康二年等磚

釋文：元康二年八月十日造亡者安寧子孫壽

處世若寄命無常神靈潛清子孫昌

壬子歲作

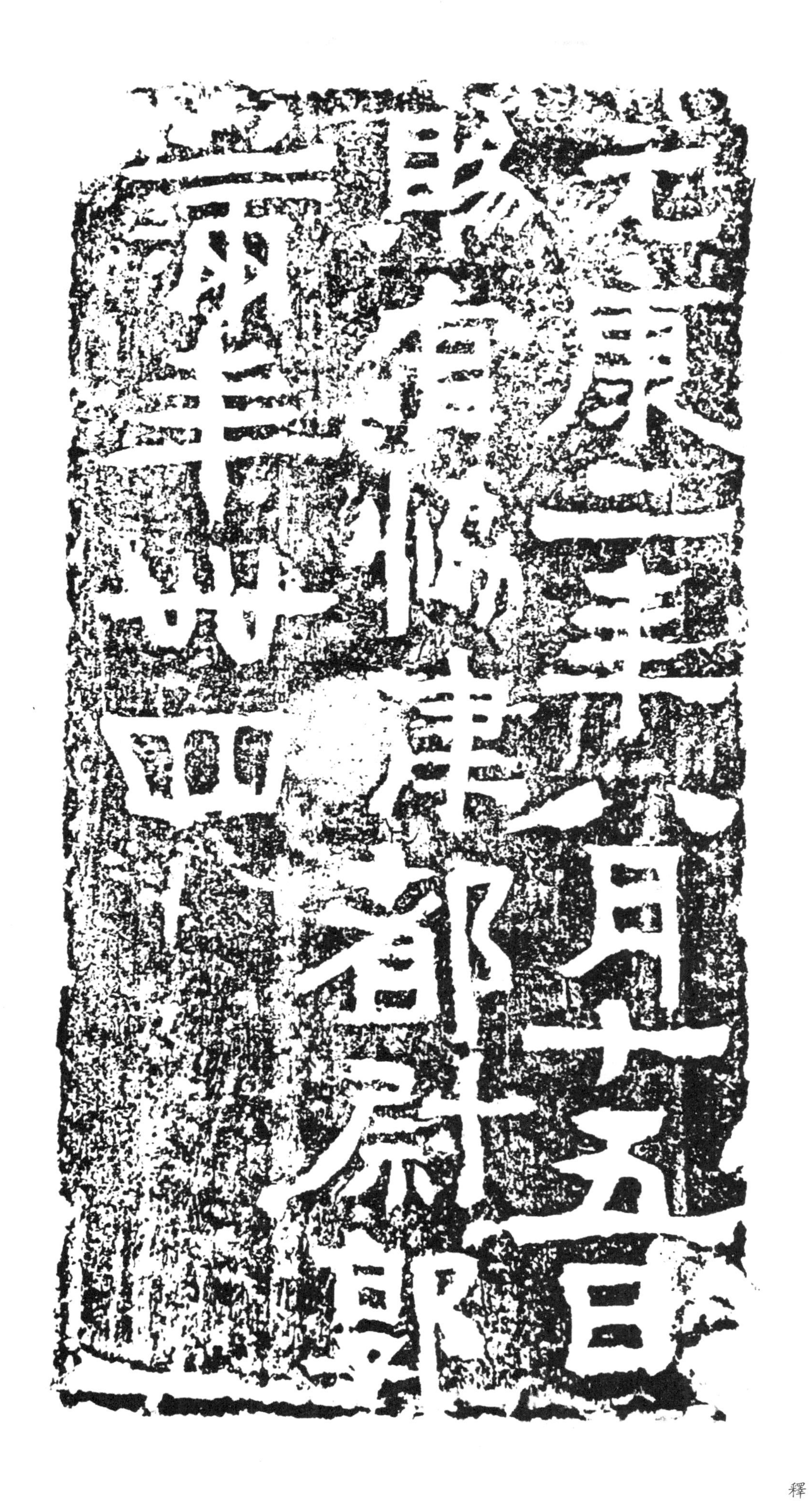

元康二年郭滿墓記磚

釋文：元康二年八月十五日／賜官協律都尉郭／滿年卅四

元康二年邵君磚

釋文：元康二年八月十日太歲在壬子晉陽羡令邵君墓

元康三年磚

釋文：元康三年太歲癸丑

元康三年張氏磚

釋文：陽遂富貴元康三年癸丑歲張氏

元康三年磚

釋文：晉元康三年三月壬寅朔造

元康三年朱氏磚

釋文：晉元康三年太歲在/癸丑八月朱氏所作

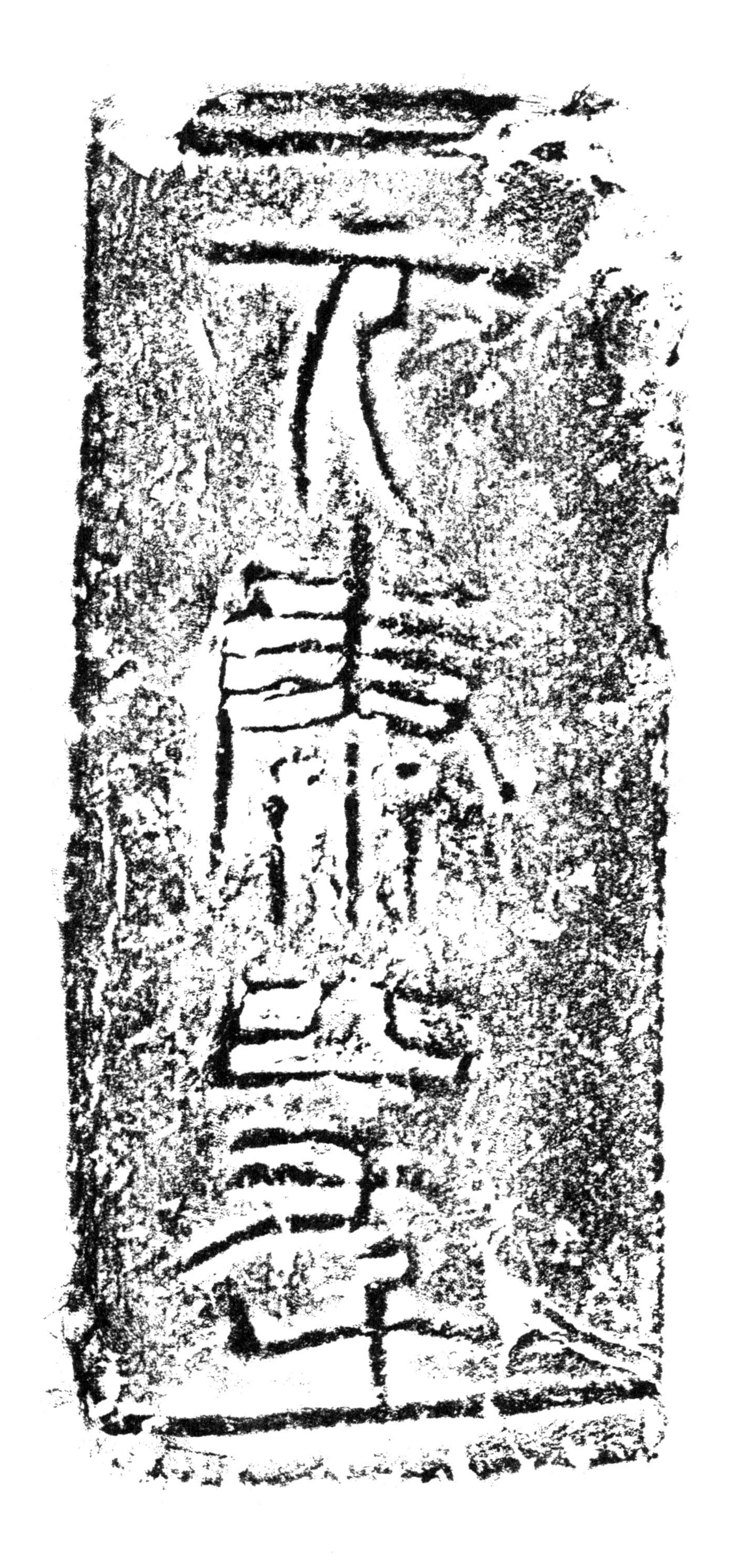

元康四年磚

釋文：元康四年

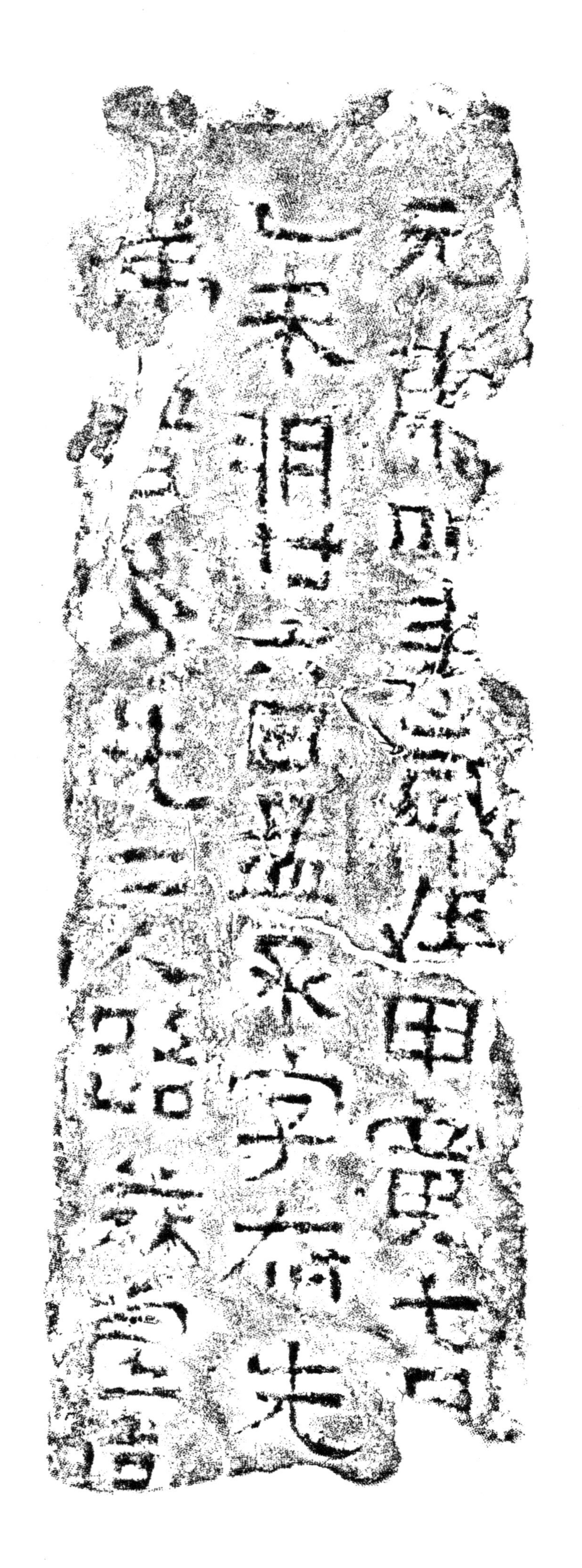

元康四年孟氏磚

釋文：元康四年歲在甲寅七月／乙未朔廿六日孟丞字叔先／弟□後先二人路并虛造

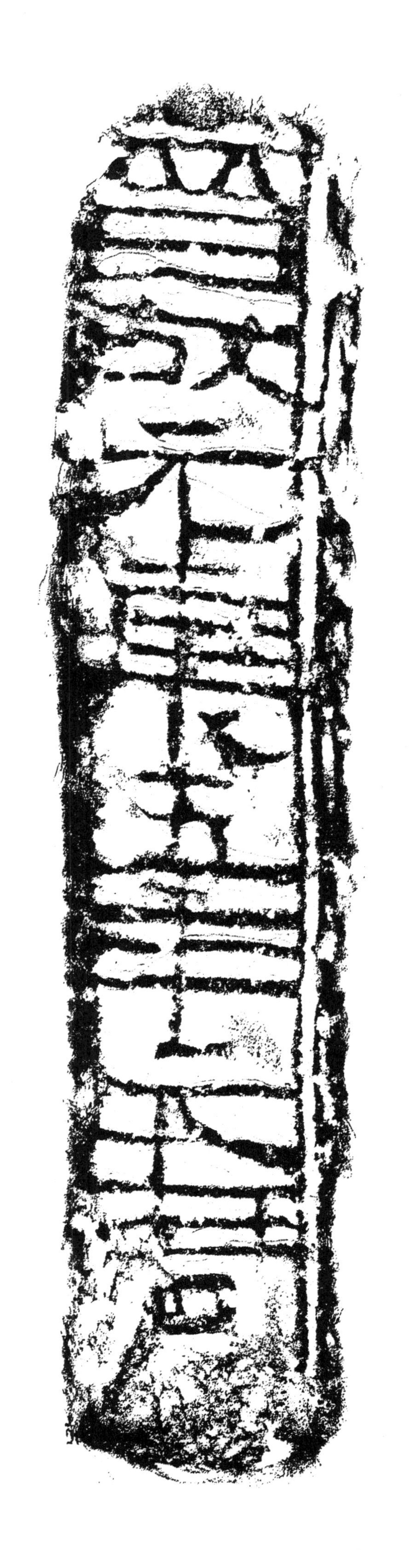

元康五年元君磚

釋文：晋故元康五年元君

元康五年沈氏磚

釋文：元康五年沈氏造作

元康五年虞氏磚

釋文：元康五年七月己丑朔廿日□申／晉故諫議大夫會稽餘姚虞氏造

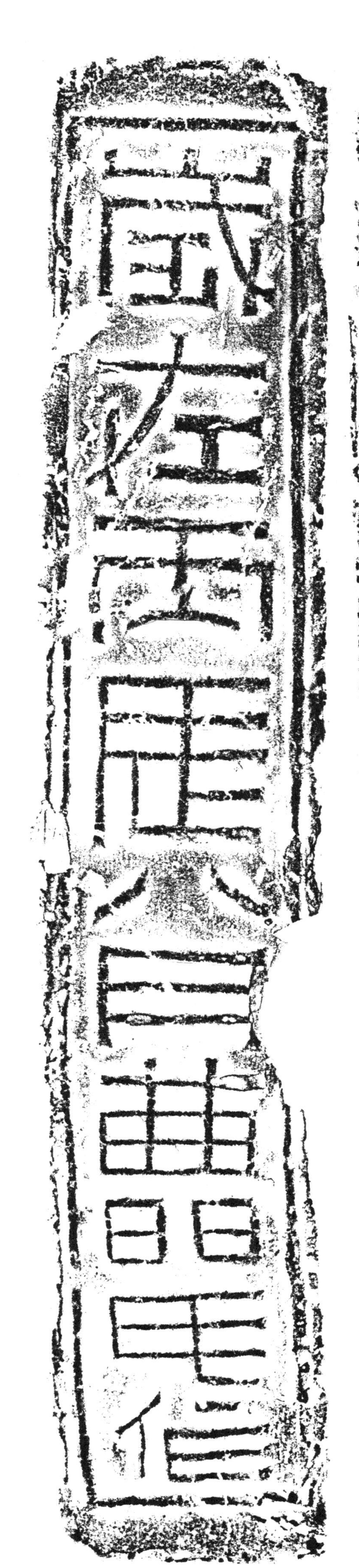

元康五年曹氏磚

釋文：元康五年

歲在丙辰八月曹氏作

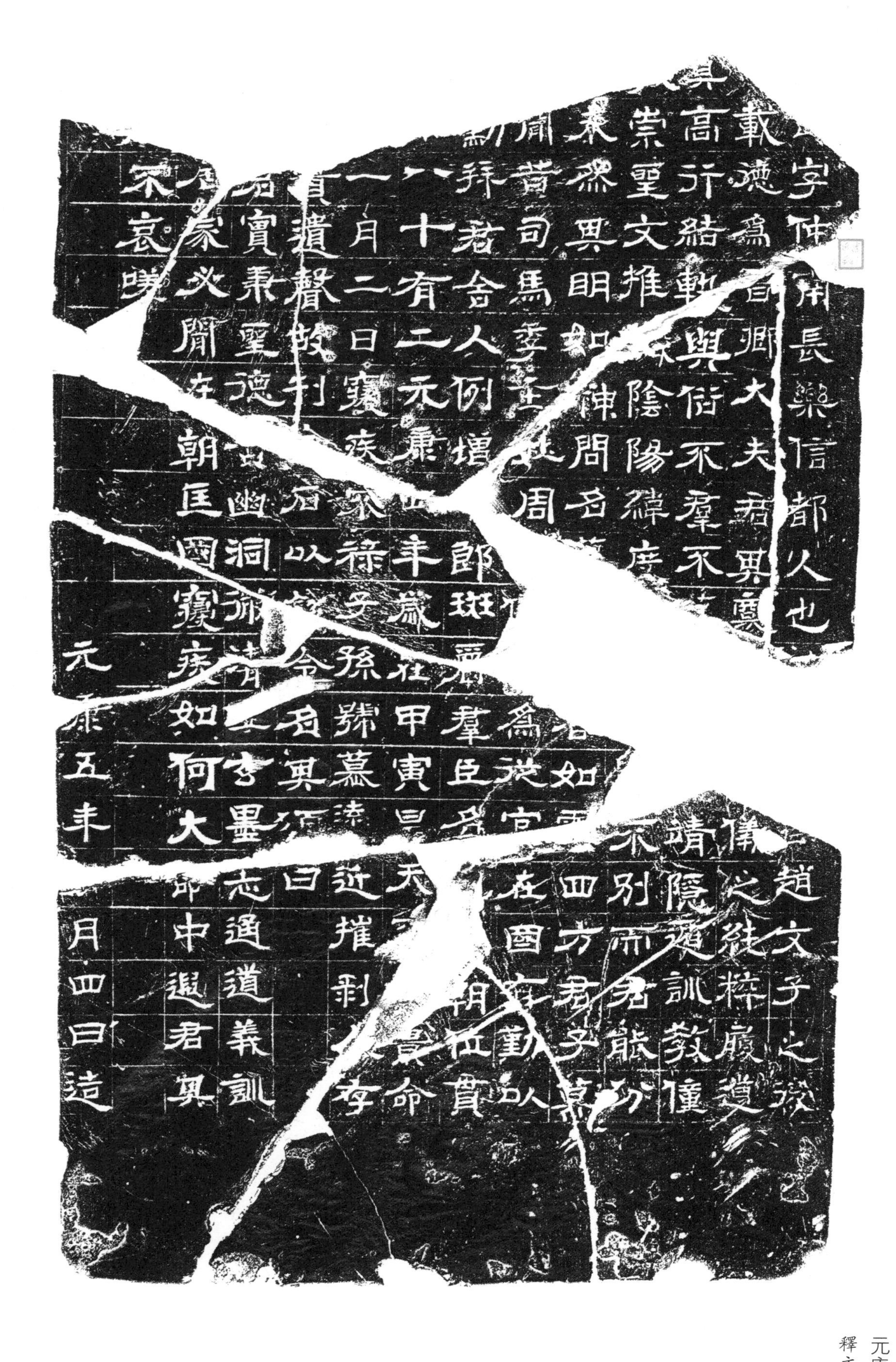

元康五年趙仲南墓誌磚

釋文：君□□□字仲南長樂信都人也□□□趙文子之後／□□□載德爲□卿大夫君其□□□□儀之純粹履道／□□□高行結軌與俗不群不□□□靖隱道訓教僮／□□□□崇聖文推□陰陽緯度□□□□不別而君能分／□□□□夫然其明如神問名□□□□如雲四方君子莫／□□□□聞昔司馬季主□周□□□爲從官在國有勤以／□□□□勳拜君舍人例增□郎斑爵群臣名□□朝位貫／□□□□□八十有三元康四年歲在甲寅昊天□□景命／□□□□一月二日寢疾不祿子孫號慕遠近摧剥□存／□□□□□遺聲故刊□石以銘令名其頌曰／□□□□名實秉聖德□幽洞徹清□玄墨志通道義訓／□□□□居家必聞在朝匡國寢疾如何大命中遐君其／□□□□不哀嗟／元康五年□月四日造

元康六年磚
釋文：晋元康六年作

元康六年黄氏磚
釋文：元康六年冢主姓黄大吉

元康六年磚

釋文：聖明之年平一安土
聖□之年平一安土
元康六年　歲在丙辰

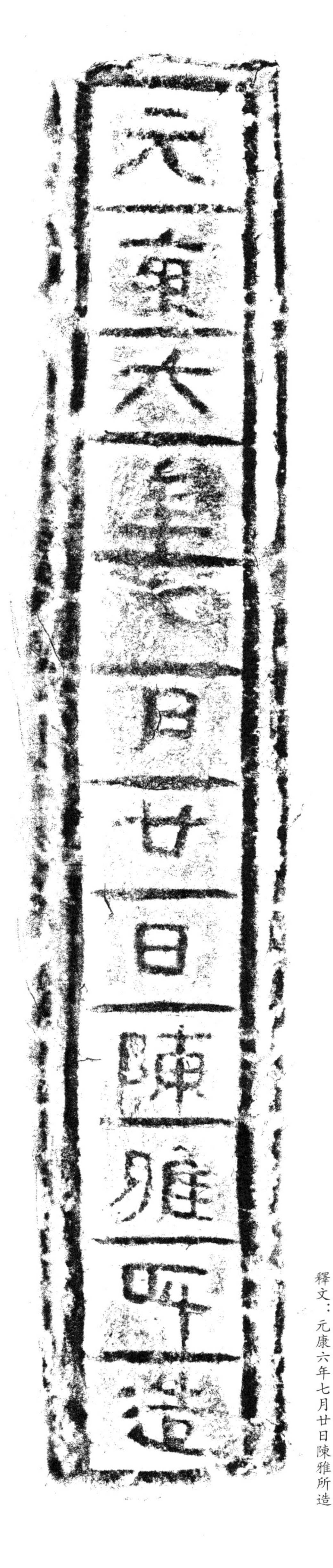

元康六年陳雅磚

釋文：元康六年七月廿日陳雅所造

元康七年磚

釋文：晉元康七年太歲丁巳

元康七年宋氏磚

釋文：元康七年宋氏造

元康七年全君磚

釋文：元康七年北海國王都督全君墓

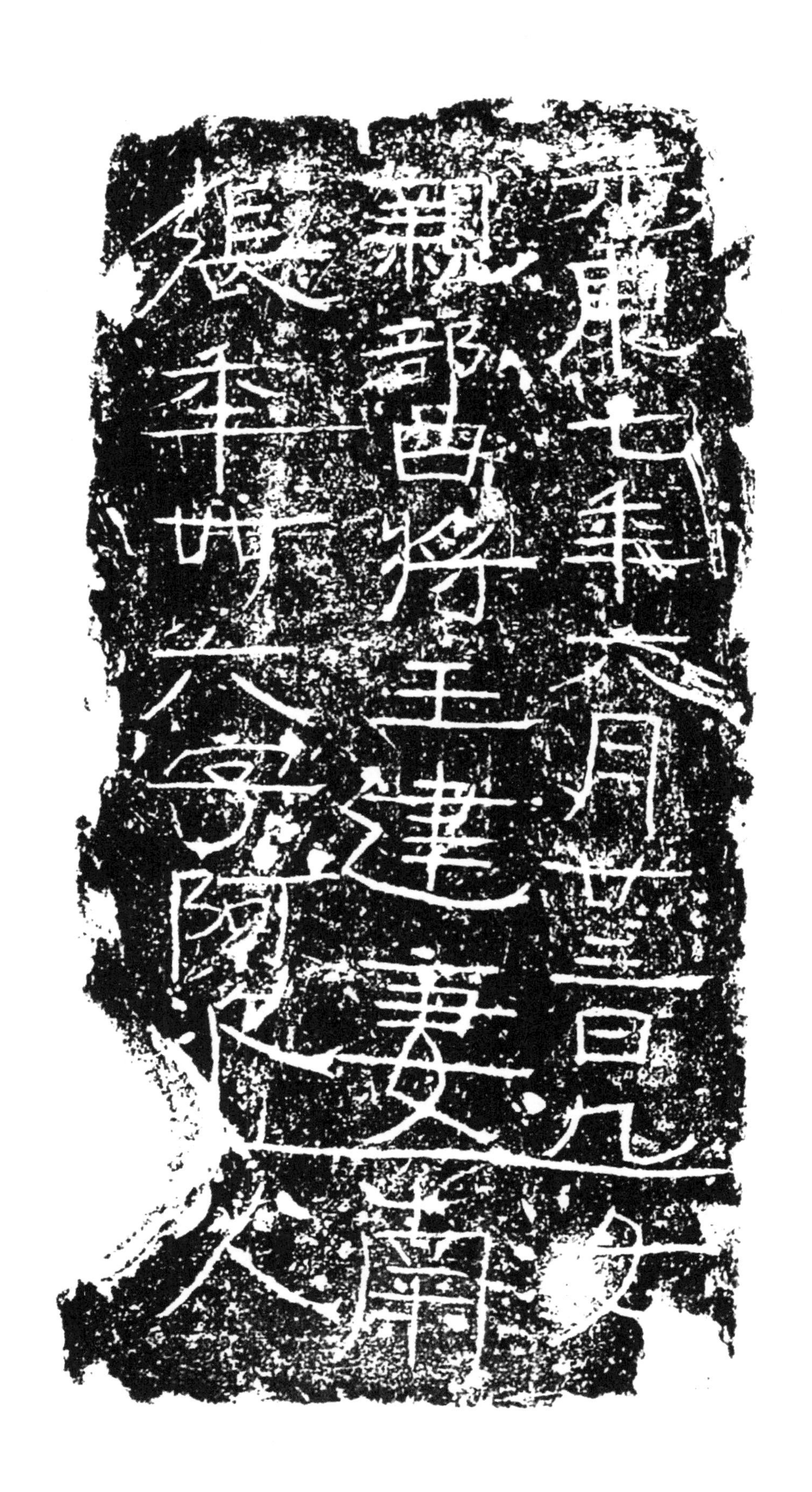

元康七年張阿次墓記磚

釋文：元康七年六月廿三日九／親部曲將王建妻／張年卌六字阿次汝南人

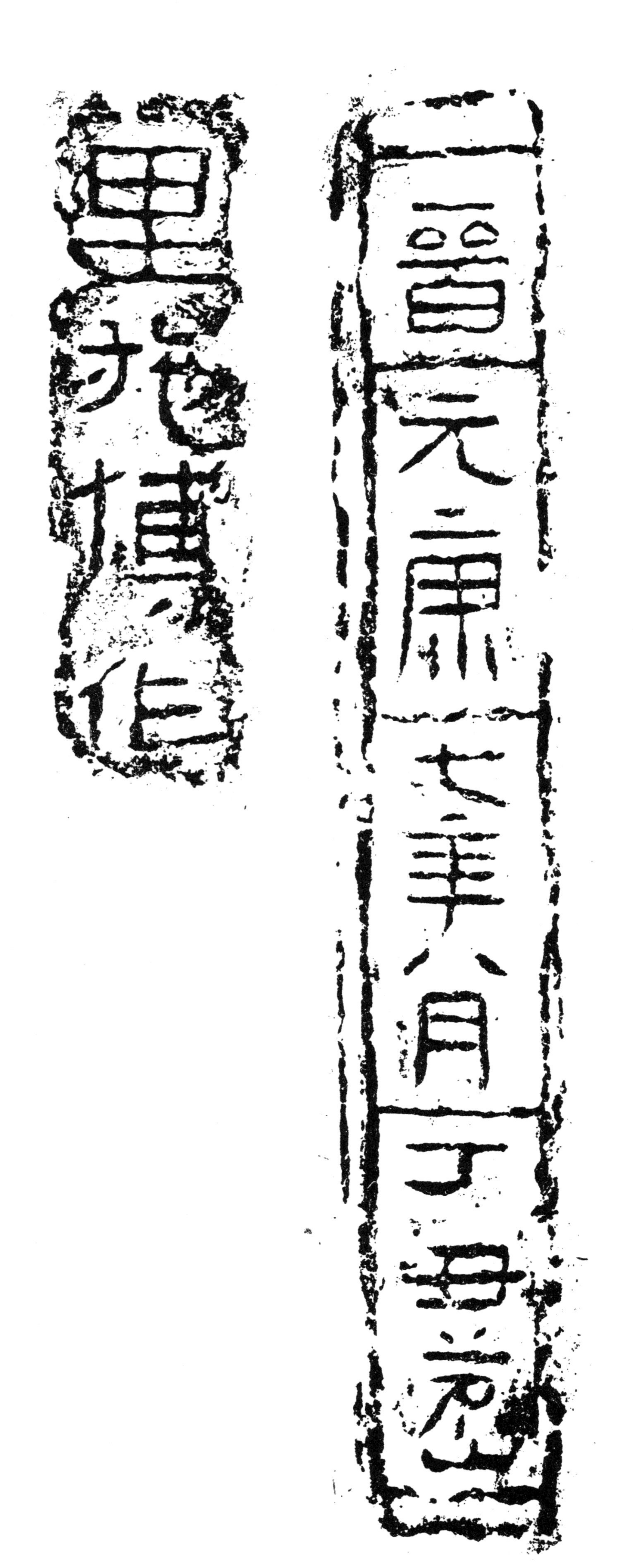

元康七年施氏磚

釋文：晉元康七年八月丁丑茅山里施傅作

元康七年磚

釋文：元康七年八月造

元康七年陳氏磚

釋文：元康七年八月陳氏作

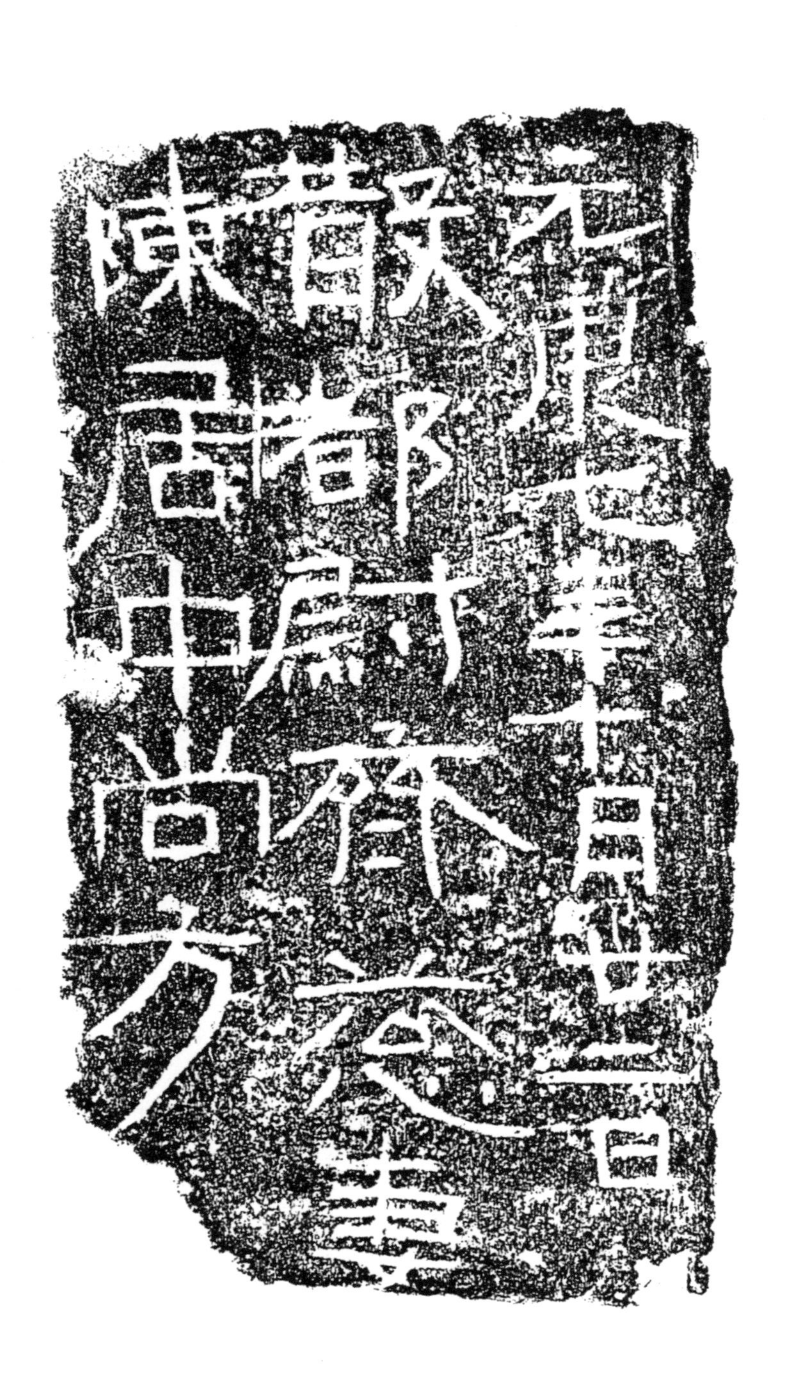

元康七年齊蒽妻陳氏墓記磚

釋文：元康七年十月廿二日／散都尉齊蒽妻／陳居中尚方

元康八年磚
釋文：元康八年作

元康八年磚
釋文：元康八年

元康八年磚

釋文：元康八年二月造歲在午□

元康八年孤子宣磚

釋文：萬歲不敗

元康八年六月孤子宣

萬歲

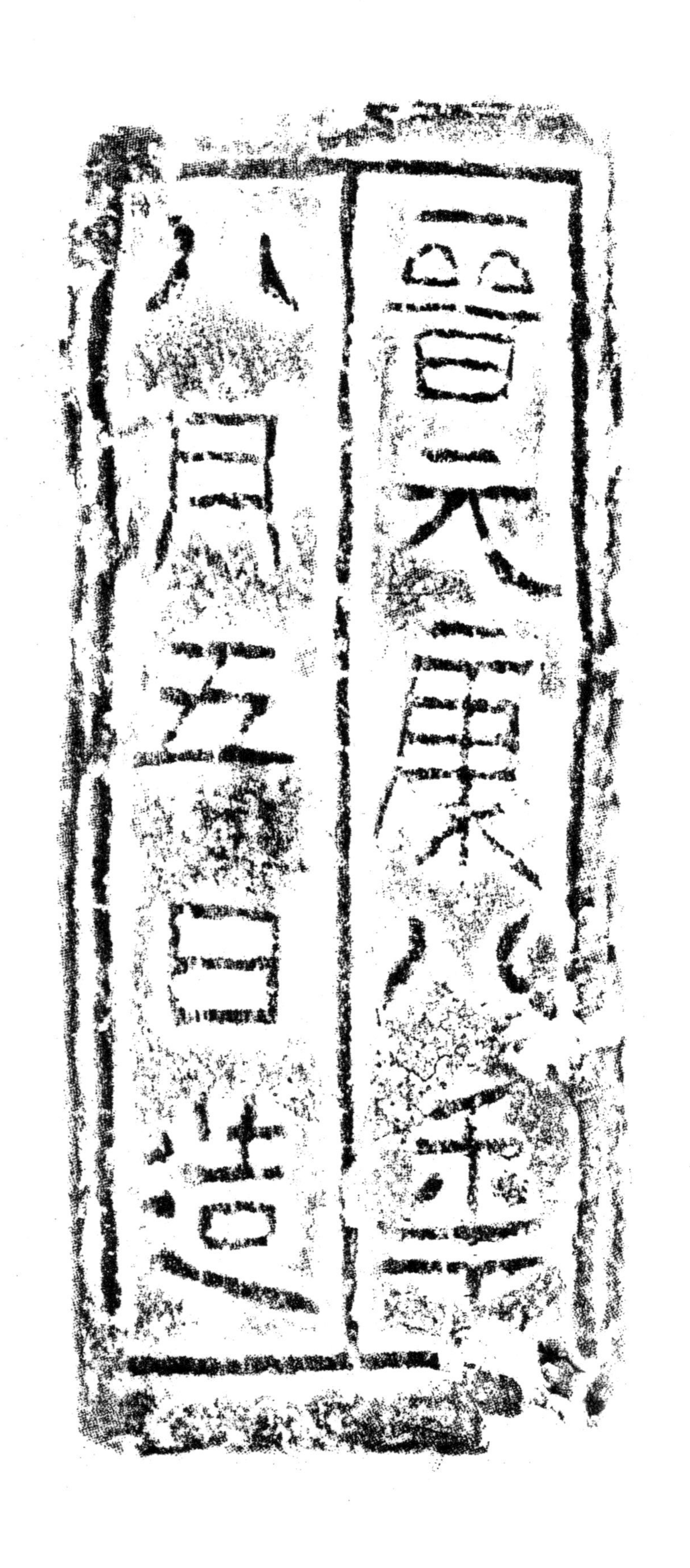

元康八年磚

釋文：晋元康八年／八月五日造

元康九年磚
釋文：元康九年作

元康九年磚
釋文：元康九年造

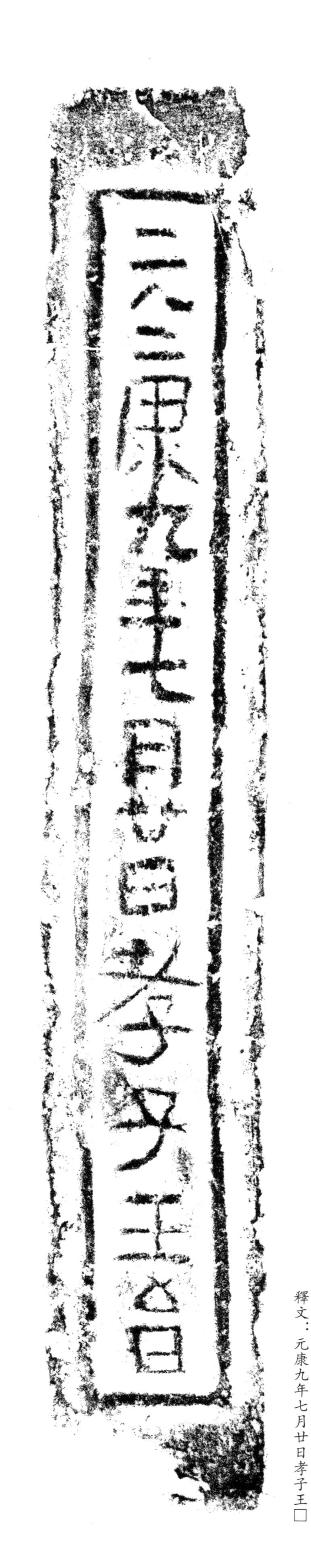

元康九年王氏磚

釋文：元康九年七月廿日孝子王□

元康九年朱姥冢磚

釋文：小紐朱姥冢元康九年八月就功

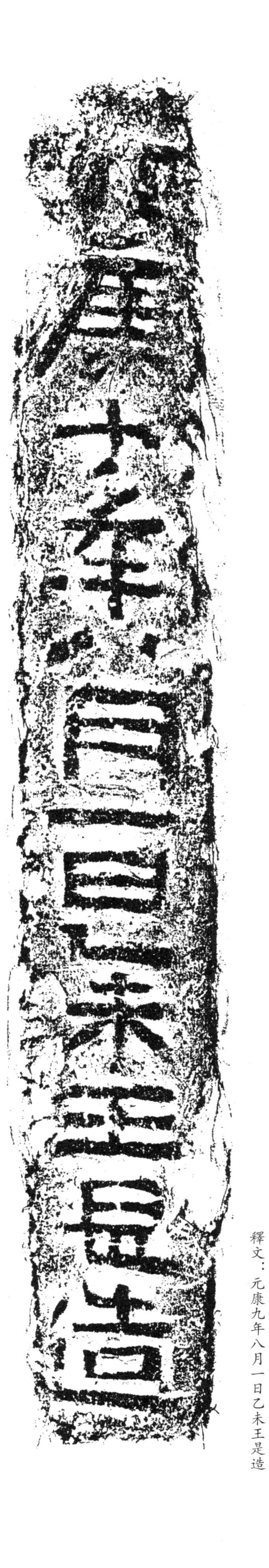

元康九年王是磚

釋文：元康九年八月一日乙未王是造

元康九年湯士磚

釋文：元康九年八一月十日湯士

元康九年磚

釋文：元康九年十月作

元康十年孟氏磚

釋文：元康十年十月造孟功曹墓

永康元年磚

釋文：大晋永康元年庚申作

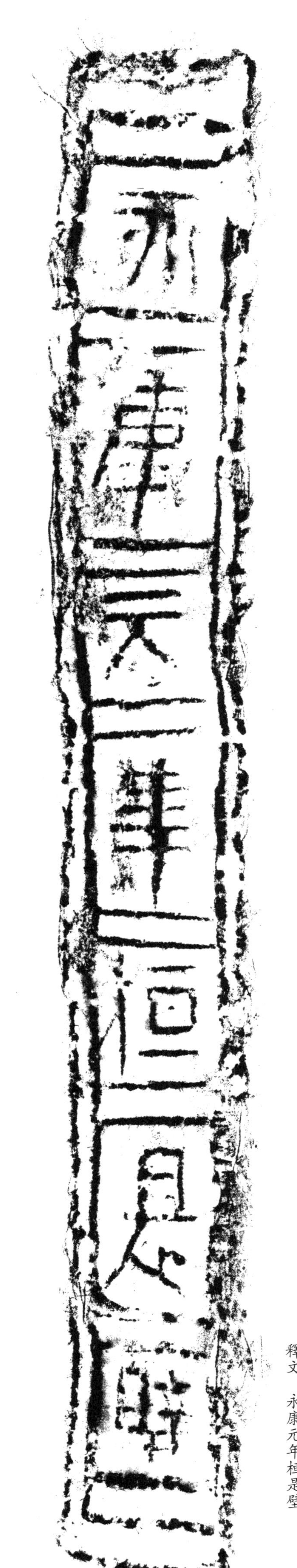

永康元年桓是磚

釋文：永康元年桓是壁

背面

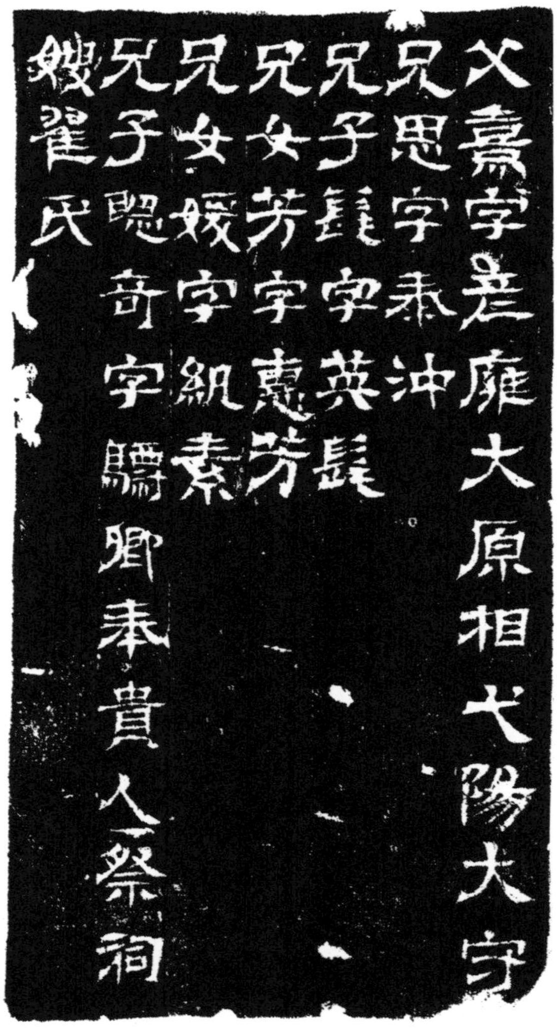

正面

永康元年左棻墓記磚

釋文：正面：左棻字蘭芝齊國臨淄人/晋武帝貴人也永康元年/三月十八日薨四月廿五/日葬峻陽陵西徼道内

背面：父熹字彦雍大原相弋陽太守/兄思字泰沖/兄子髦字英髦/兄女芳字惠芳/兄女媛字紈素/兄子聰奇字驃卿奉貴人祭祠/嫂翟氏

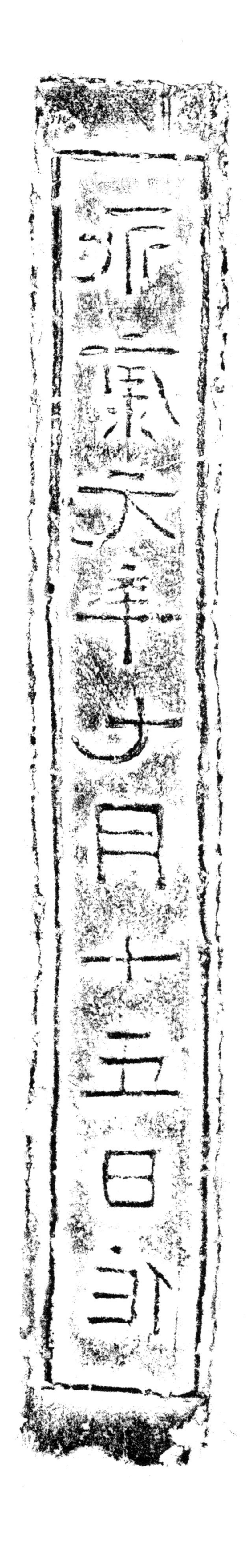

永康元年磚
釋文：永康元年七月十五日作

永康元年杜氏磚
釋文：永康元年八月晉國杜氏

永康元年磚

釋文：永康元年八月七日作壁

永康元年賀氏磚

釋文：晉永康元年九月賀氏造

永寧元年李君墓記磚

釋文：永寧元／武邑李／月廿日亡

永寧元年蔡氏磚

釋文：永寧元年歲在辛酉蔡作

永寧元年蔡氏磚

釋文：永寧元年歲在辛酉蔡作

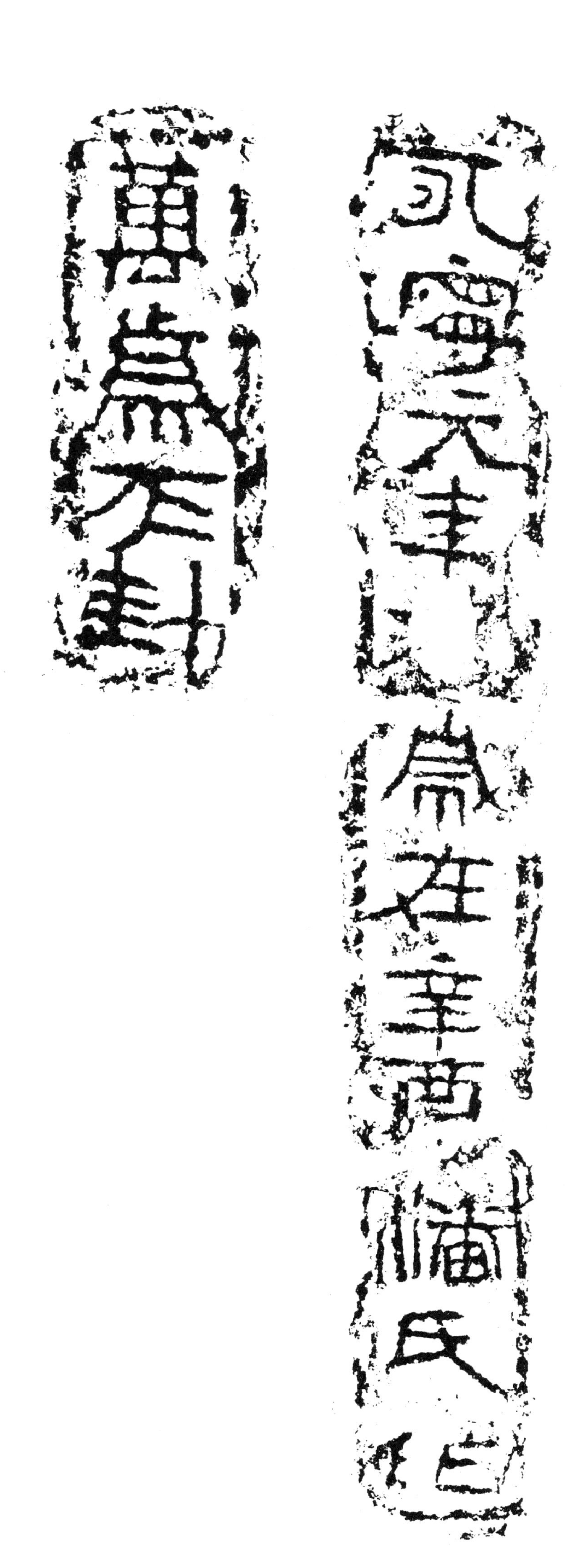

永寧元年潘氏磚

釋文：永寧元年太歲在辛酉潘氏作
萬歲永封

永寧元年陳氏磚

釋文：司馬太上王復帝位易號永寧元年其年陳氏作壁

永寧元年董始明磚

釋文：永寧元年大中大夫偏將軍董始明

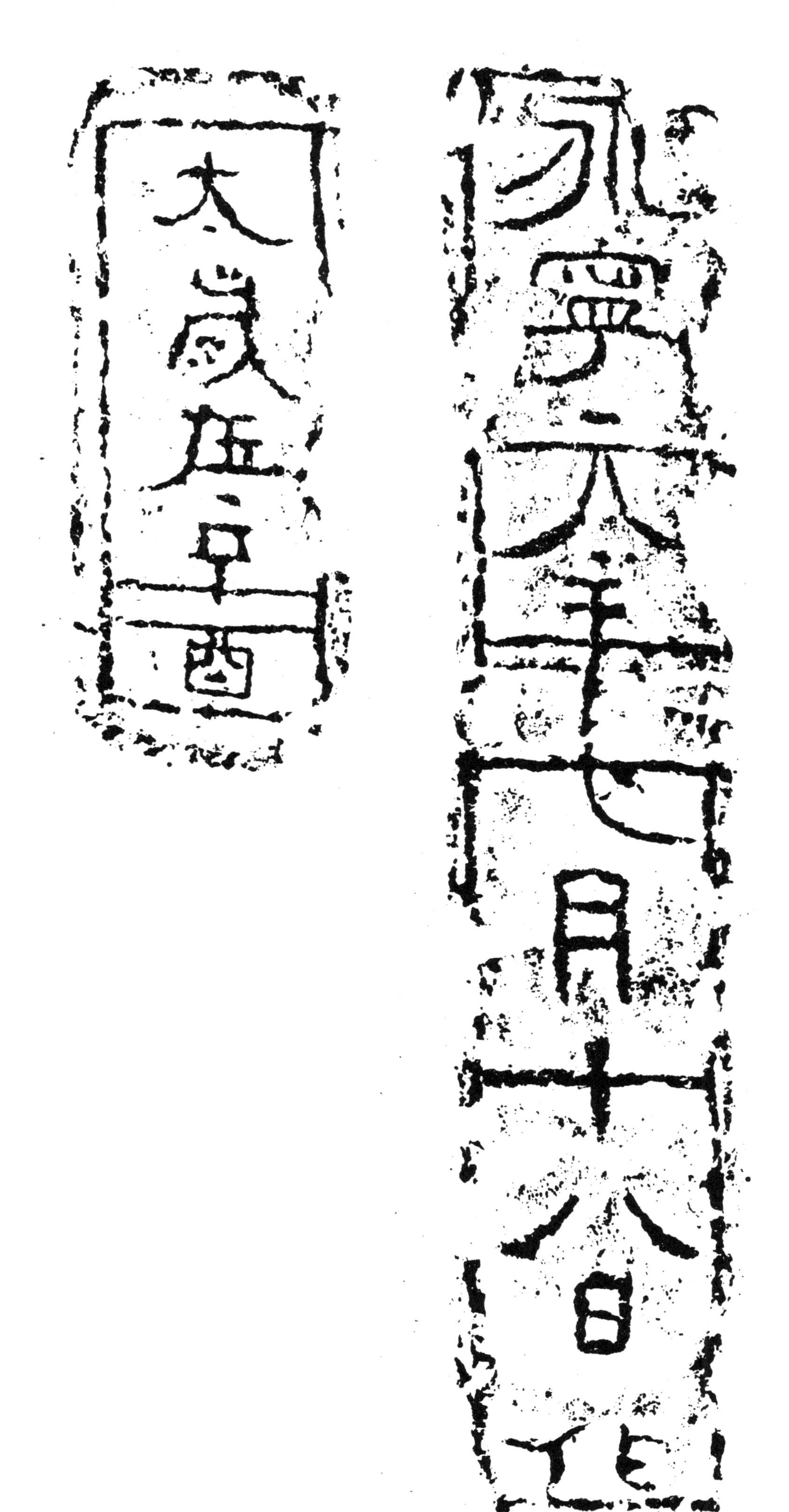

永寧元年磚
釋文：永寧元年七月十八日作
太歲在辛酉

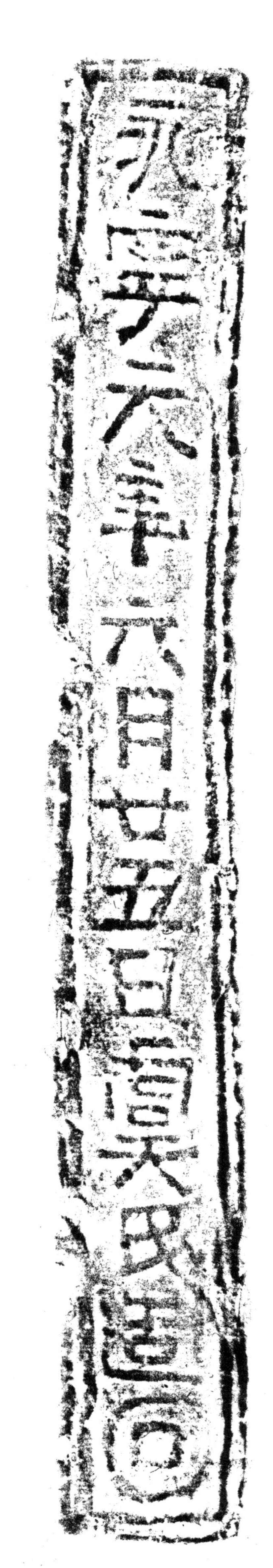

永寧元年虞氏磚

釋文：永寧元年六月廿五日虞氏造

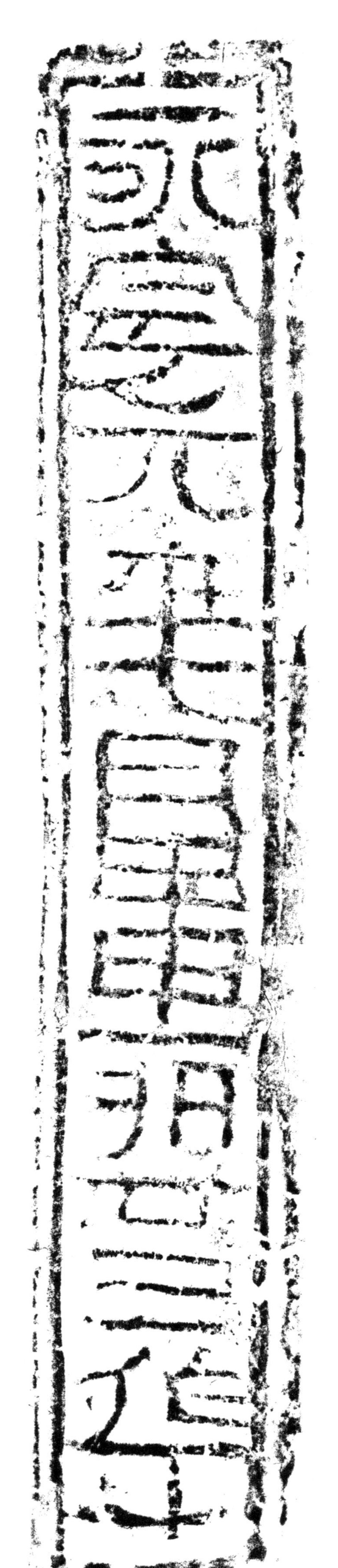

永寧元年磚

釋文：永寧元年七月甲申朔廿日作也

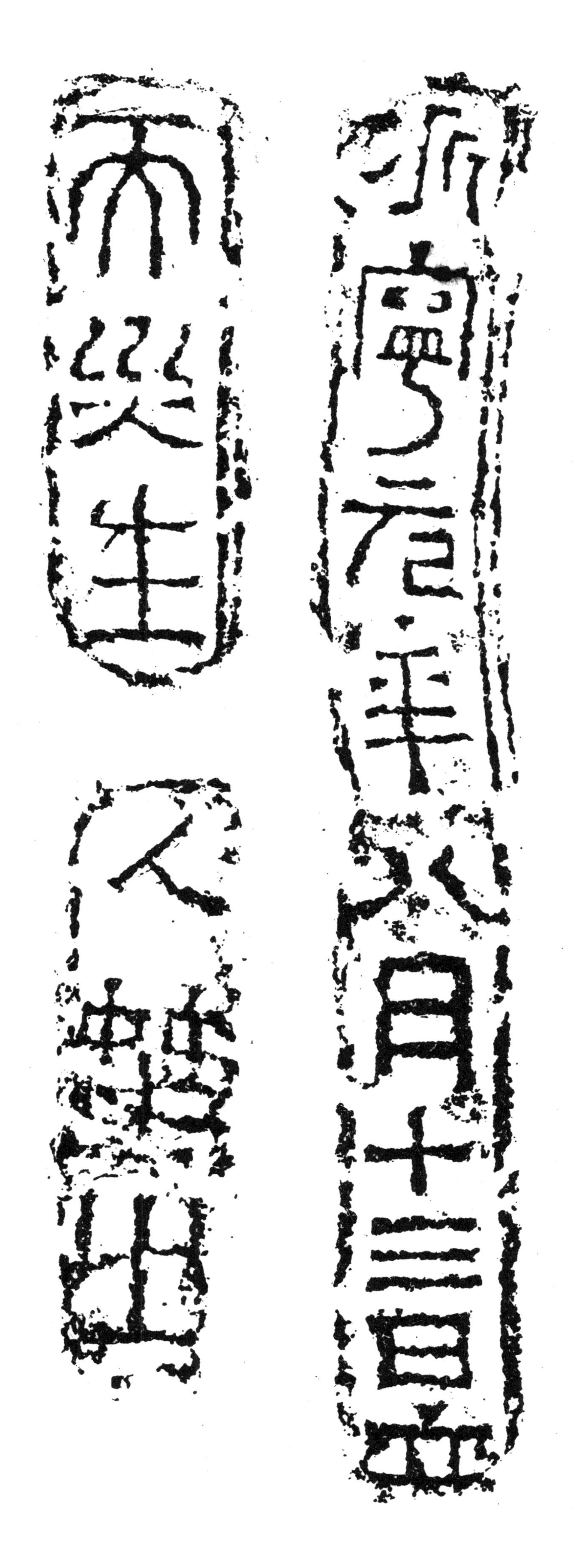

永寧元年磚

釋文：永寧元年八月十三日立
天災生
人桀出

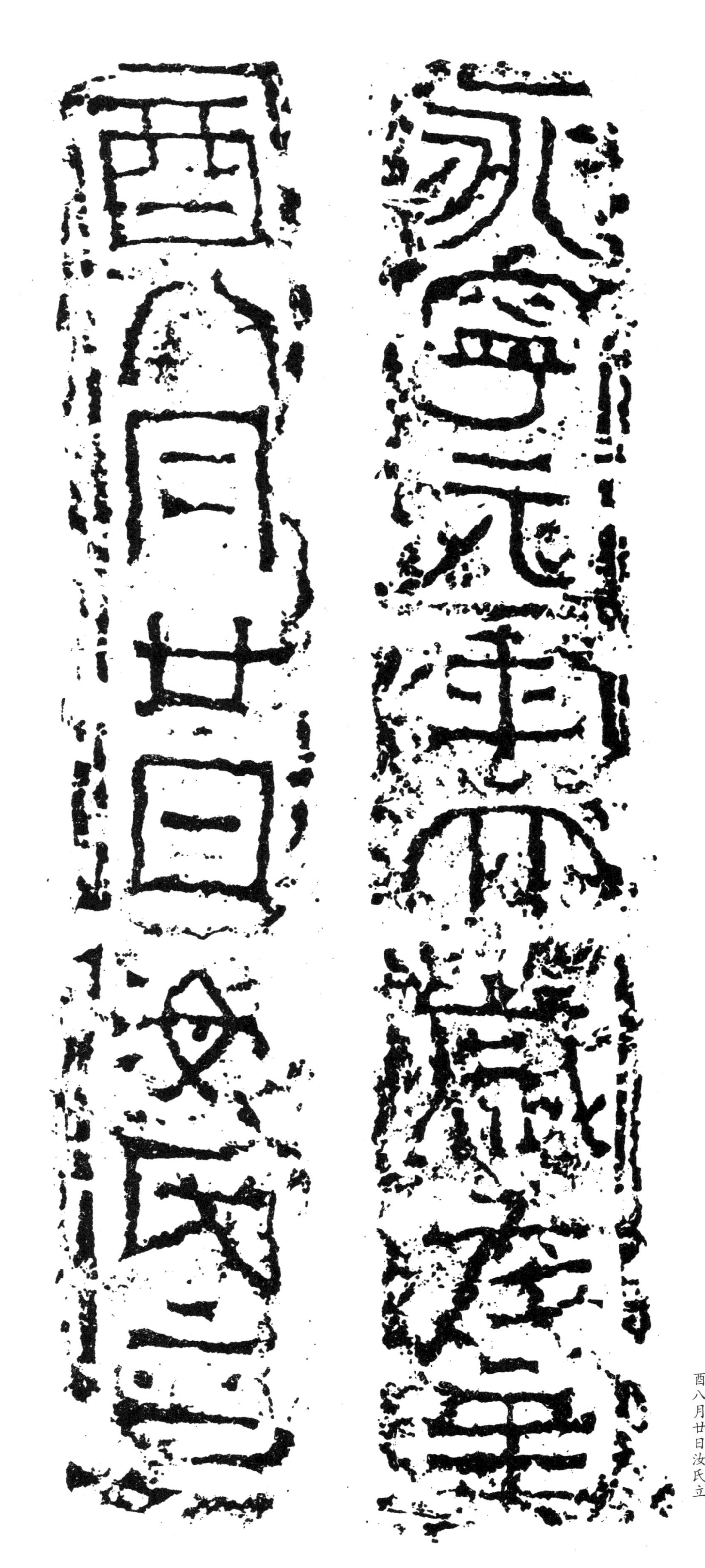

永寧元年汝氏磚

釋文：永寧元年太歲在辛酉八月廿日汝氏立

永寧二年徐氏磚

釋文：永寧二年太歲在壬戌七月戊寅朔徐作

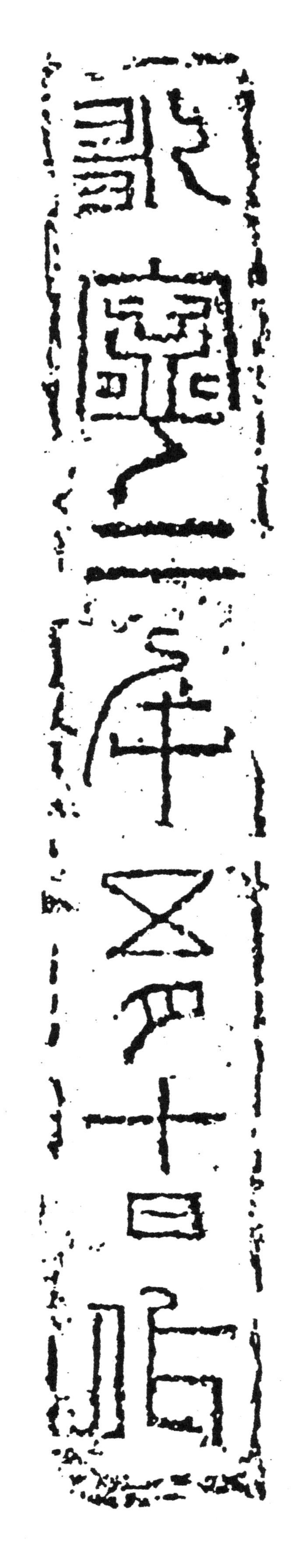

永寧二年磚

釋文：永寧二年五月十日作

永寧二年磚

釋文：永寧二年七月戊寅朔十三日庚寅

太安二年施氏磚

釋文：晉太安二年歲在癸亥施氏貴

壽宜孫子

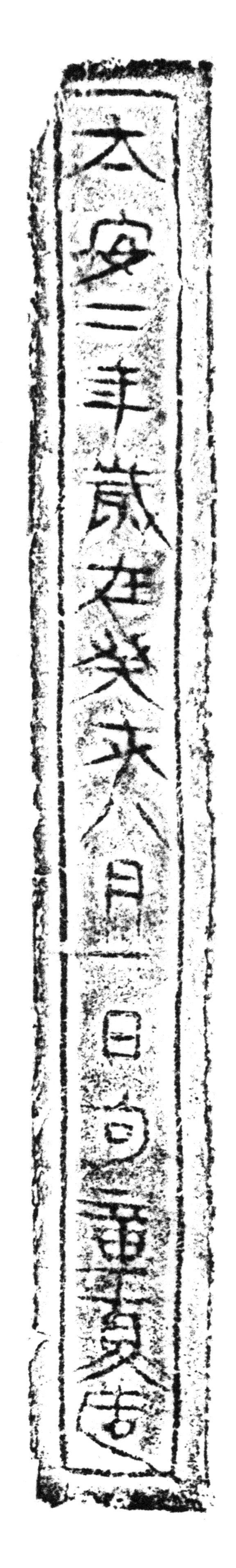

太安二年夏氏磚

釋文：太安二年歲在癸亥八月一日句章夏造

永興元年嚴氏磚

釋文：永興元年六月嚴氏造

永嘉磚

釋文：永嘉

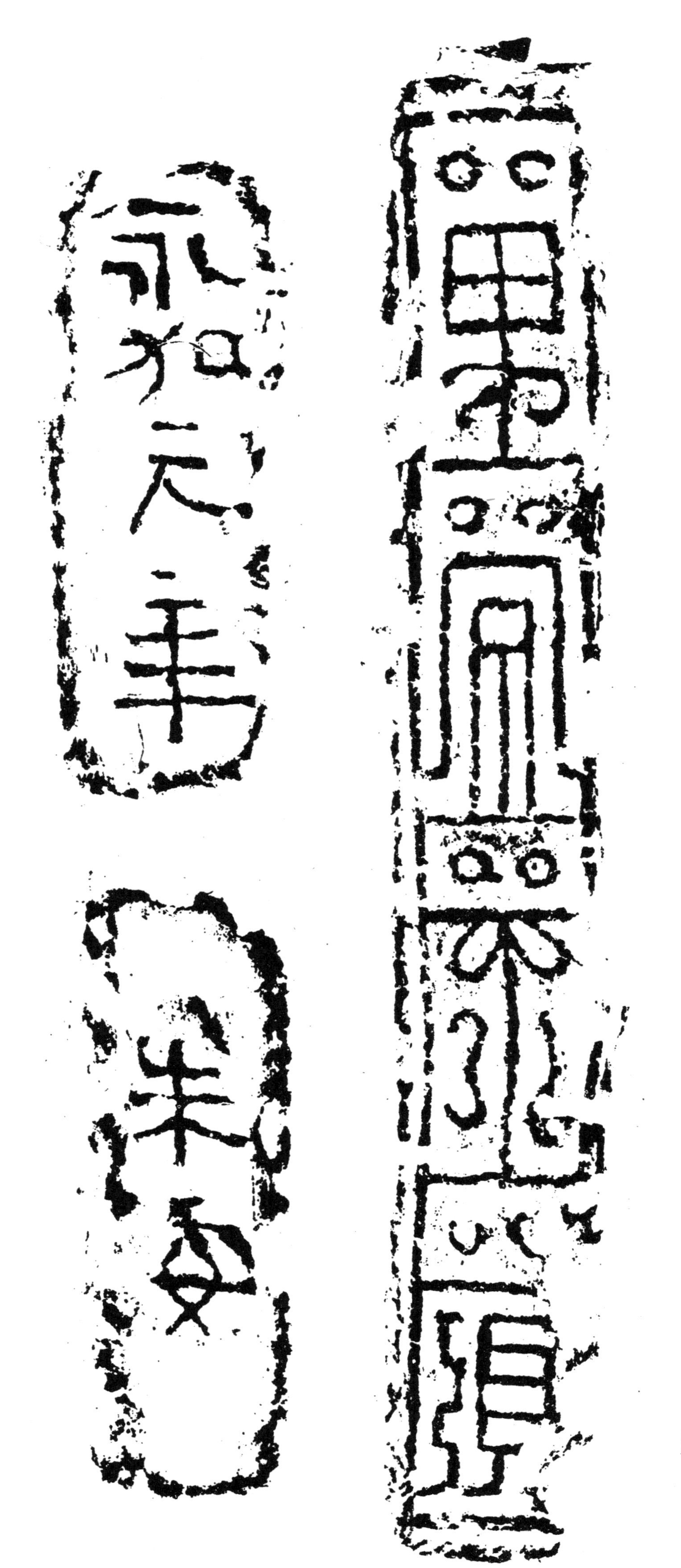

永嘉元年朱氏磚

釋文：萬歲不敗
永加元年
朱安

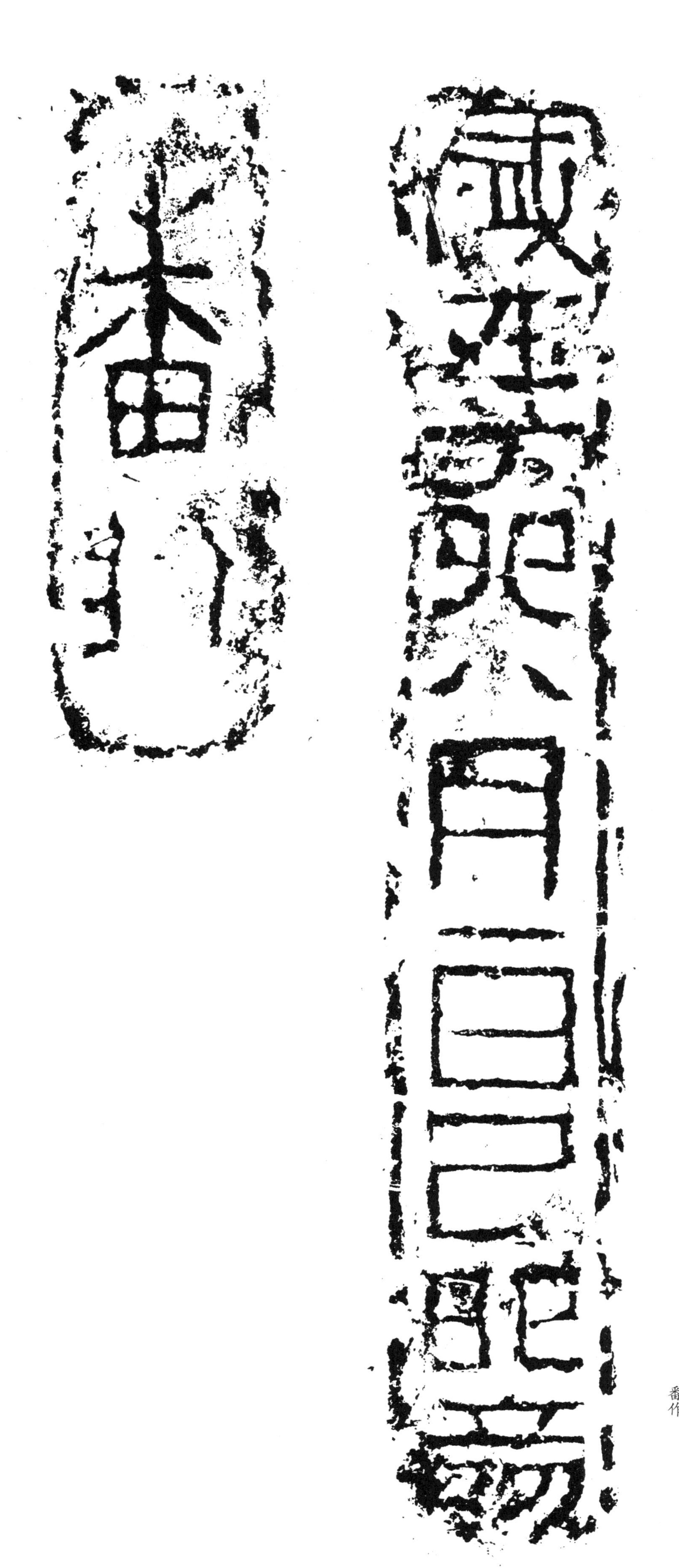

永嘉元年番氏磚

釋文：歲在丁卯八月一日己卯立功番作

永嘉元年呂士容磚

釋文：永嘉元年八月廿日造作　呂士容

永嘉元年磚

釋文：永嘉元年八月廿一五日所作也

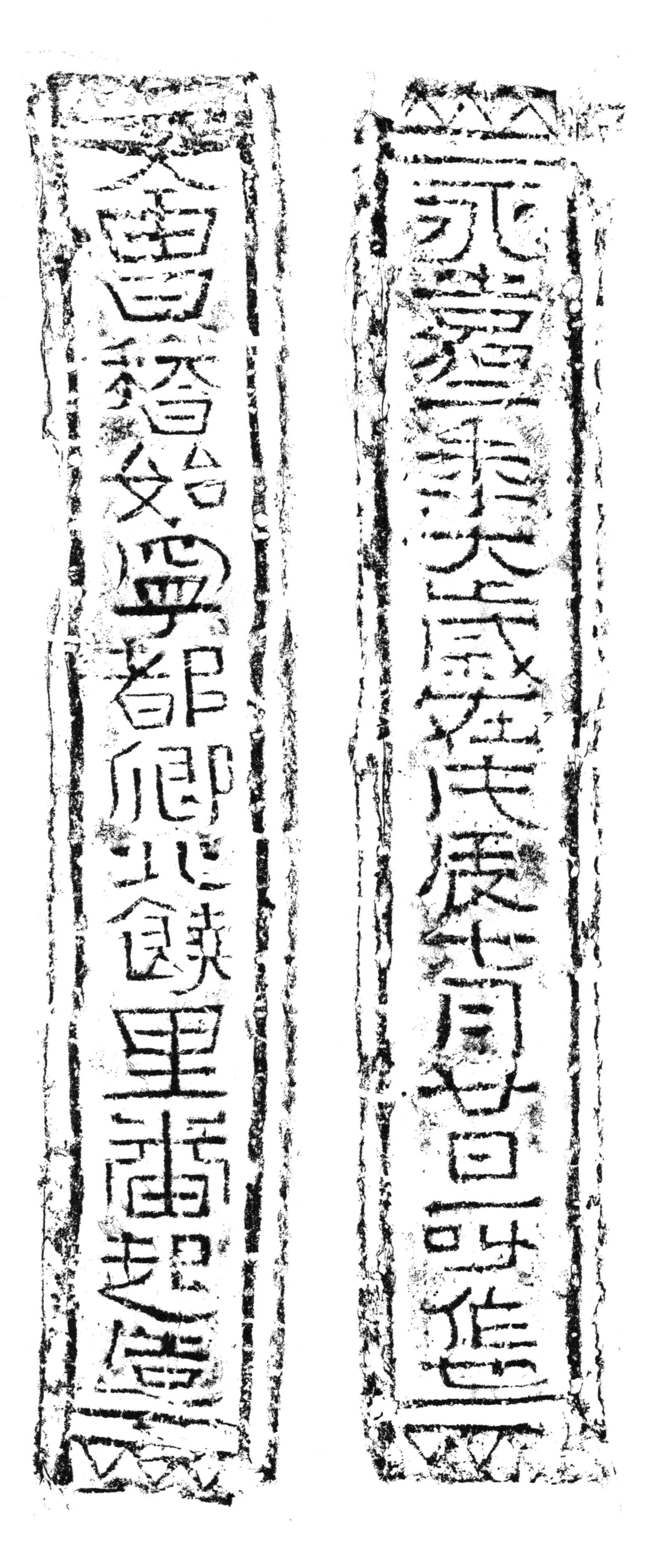

永嘉二年番氏磚

釋文：永嘉二年太歲在戊辰七月廿日所作也

會稽始寧都卿北鐃里番起造

永嘉三年趙令芝墓記磚

釋文：永嘉三年十一月廿一日丁卯／中尚方散都尉孟□／妻趙令芝年廿喪

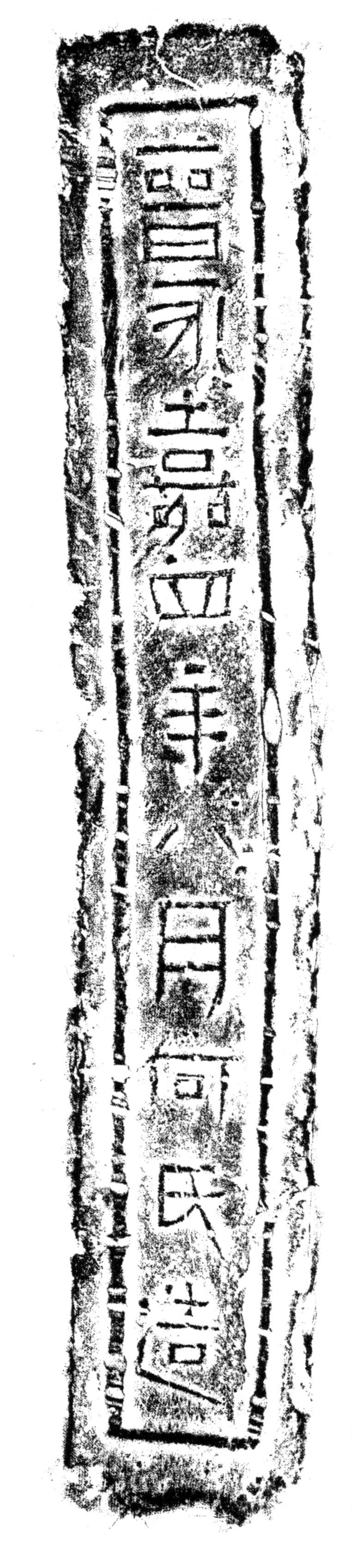

永嘉四年何氏磚

釋文：晋永嘉四年八月何氏造

永嘉五年磚

釋文：永嘉五年辛未歲

永嘉五年磚

釋文：永嘉五年辛未子孫昌皆侯王

永嘉五年陳氏磚

釋文：永嘉五年陳□所造

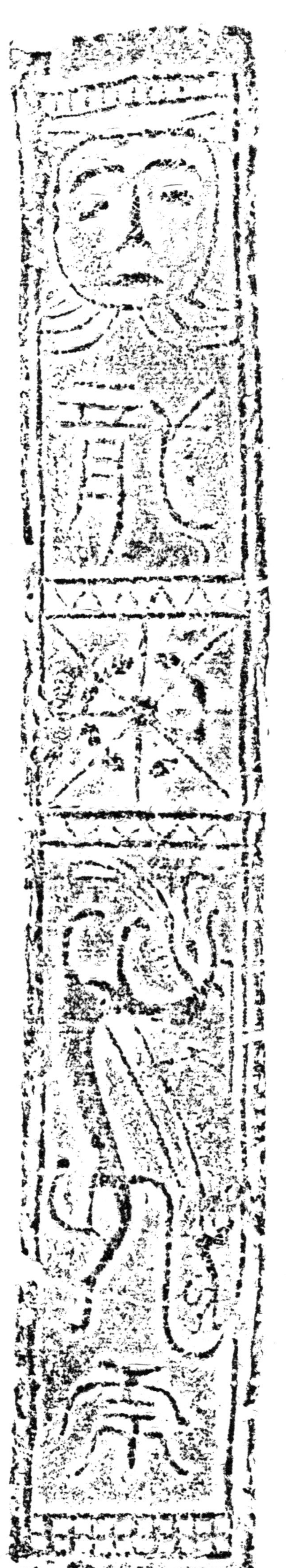

永嘉六年磚

釋文：永嘉六年　龍虎

永嘉六年陳氏磚

釋文：永嘉六年壬申宜子保孫　陳仁

永嘉六年磚
釋文：永嘉六年壬申永保萬年一公侯

永嘉六年磚
釋文：永嘉六年壬申宜公侯王

永嘉六年王氏磚

釋文：永嘉六年七月卅日

王

永嘉六年磚

釋文：永嘉六年八月廿四日作

永嘉七年癸酉子孫君侯磚

釋文：永嘉七年癸酉子孫君侯

永嘉七年癸酉宜公宜侯磚

釋文：永嘉七年癸酉宜公宜侯／廣州

永嘉七年癸酉皆宜孫子磚

釋文：永嘉七年癸酉皆宜孫子

永嘉七年癸酉皆宜君子磚

釋文：永嘉七年癸酉皆宜君子

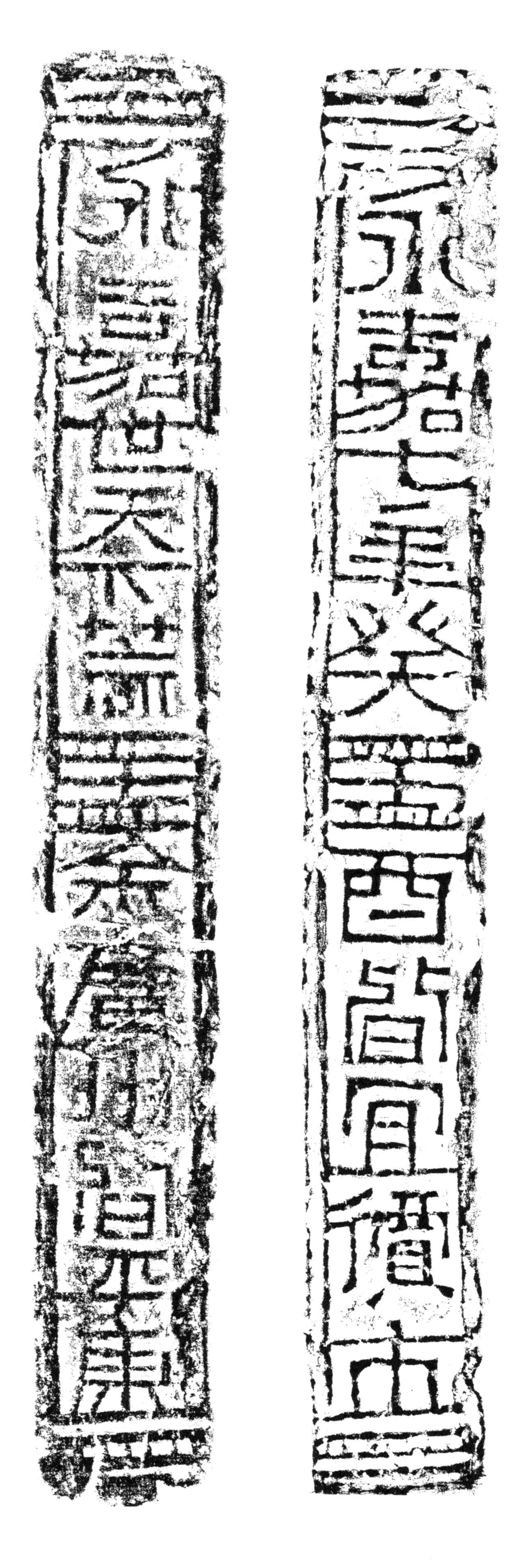

永嘉七年等磚

釋文：永嘉七年癸酉皆宜價市

永嘉世天下荒余廣州皆平康

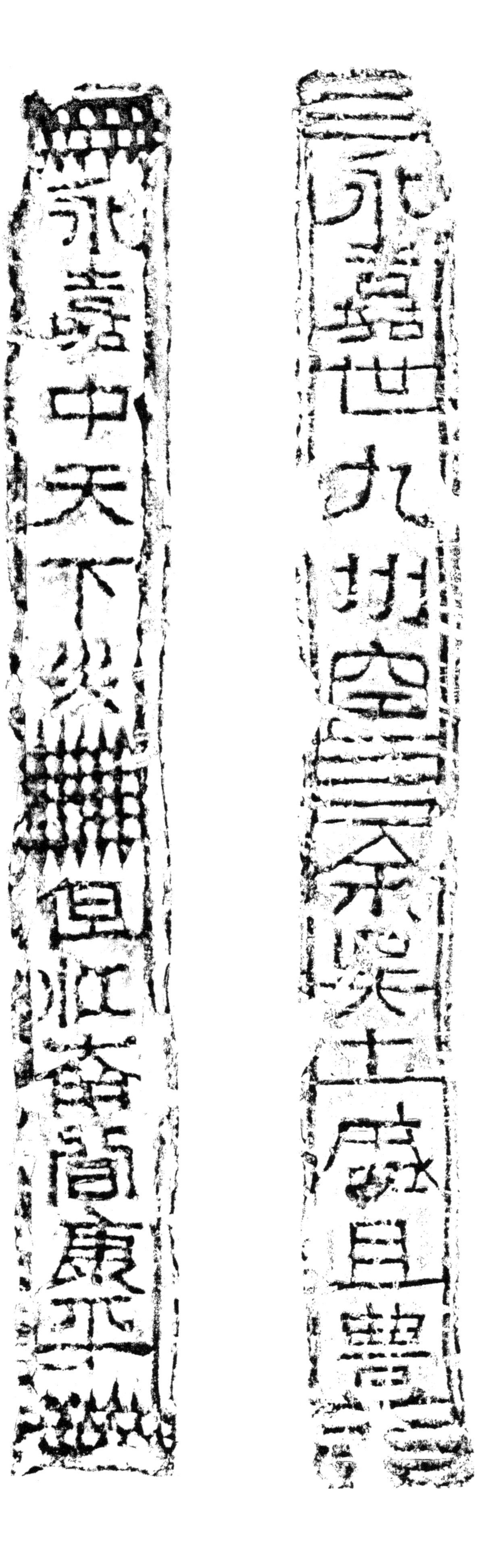

永嘉世九州等字磚

釋文：永嘉世九州空余吴土盛且豐
永嘉中天下災但江南皆康平

建興二年俞才高磚

釋文：建興二年俞才高作

建興二年磚

釋文：建興二年七月卅日造

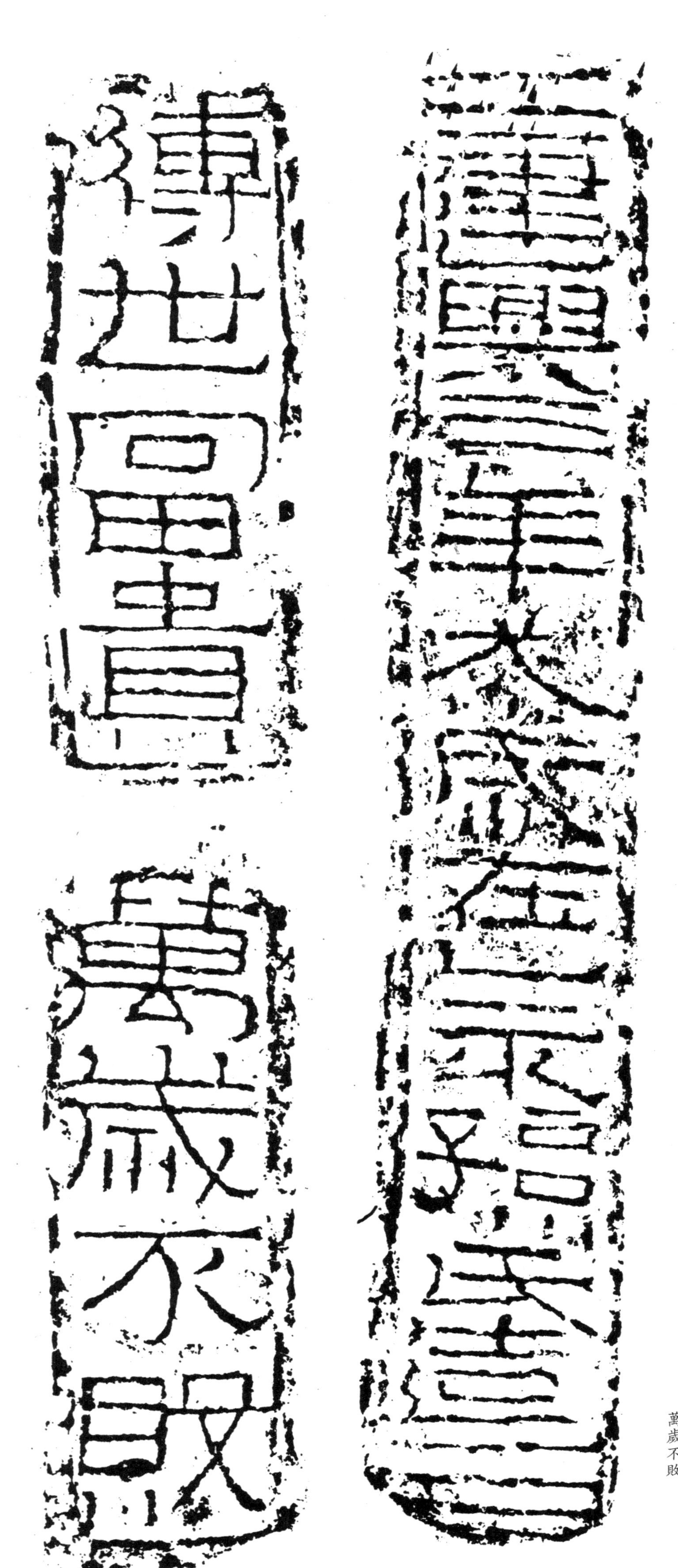

建興三年孫氏磚之一

釋文：建興三年太歲在乙亥孫氏造

傳世富貴

萬歲不敗

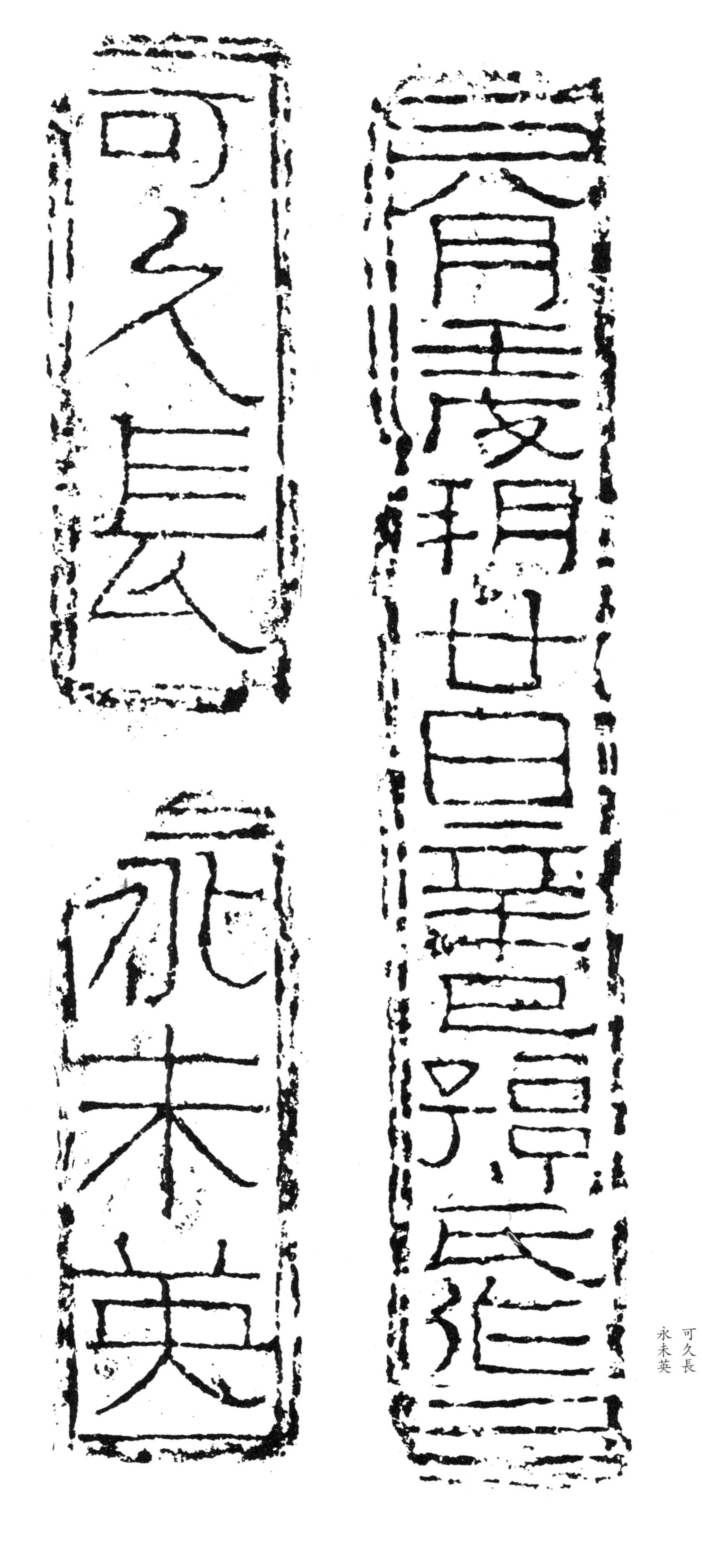

建興三年孫氏磚之二

釋文：八月壬戌朔廿日辛巳孫氏作

可久長

永未英

建興四年竇庠磚

釋文：建興四年哀子竇庠作

建興三年磚

釋文：建興三年八月五日造

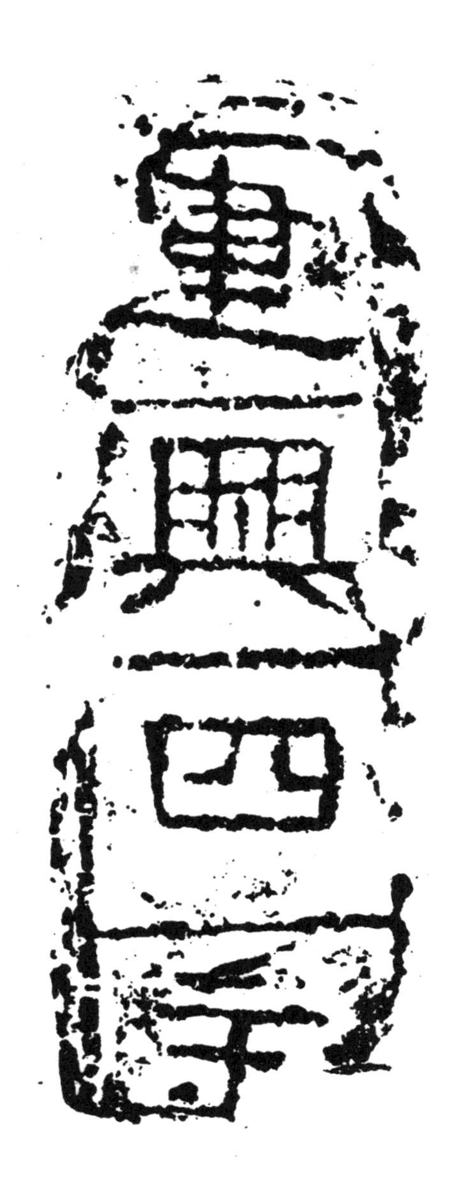

建興四年磚

釋文：建興四年

建興四年八月十日作

圖書在版編目（CIP）數據

兩晋至宋元磚銘書法．一／上海書畫出版社編；黎旭，王立翔主編．－－上海：上海書畫出版社，2022.10

（磚銘書法大系）

ISBN 978-7-5479-2894-3

Ⅰ．①兩… Ⅱ．①上… ②黎… ③王… Ⅲ．①漢字－法書－作品集－中國－古代 Ⅳ．①J292.21

中國版本圖書館CIP資料核字(2022)第177042號

磚銘書法大系

兩晋至宋元磚銘書法（一）

上海書畫出版社 編

黎旭 王立翔 主編

責任編輯 張恒煙 馮彦芹
審　　讀 陳家紅
封面設計 王 峥
技術編輯 顧 傑

出版發行 上海世紀出版集團 上海書畫出版社

地址 上海市閔行區號景路159弄A座4樓
郵政編碼 201101
網址 www.shshuhua.com
E-mail shcpph@163.com
製版 上海久段文化發展有限公司
印刷 上海盛隆印務有限公司
經銷 各地新華書店
開本 889×1194mm 1/12
印張 8
版次 2022年10月第1版
2022年10月第1次印刷

書號 ISBN 978-7-5479-2894-3
定價 65.00圓

若有印刷、裝訂質量問題，請與承印廠聯繫